초등 국어 일등급 어휘력 ❶

실력 진단 평가 1

제한 시간	맞힌 개수	선생님 확인
15분	/ 15	

01 ~ 04 다음 낱말에 알맞은 뜻풀이를 찾아 선으로 이으세요.

1	공부 •	• ㉠	가깝게 오래 사귄 사람.
2	생활 •	• ㉡	학문이나 기술을 배우고 익힘.
3	추천 •	• ㉢	어떤 조건에 알맞은 대상을 소개함.
4	친구 •	• ㉣	사람이나 동물이 일정한 환경에서 활동하며 살아감.

05 ~ 07 다음 낱말의 뜻풀이에 알맞은 말을 보기 에서 찾아 쓰세요.

보기

기준　느낌　식물　전달

11 ~ 13 다음 밑줄 친 낱말과 바꾸어 쓸 수 있는 낱말을 찾아 선으로 이으세요.

11	빙하가 해빙하여 북극곰이 죽고 있다. •	• ㉠	녹아
12	봄에는 온난하여 두꺼운 옷이 필요 없다. •	• ㉡	달라져
13	목감기 때문에 목소리가 변하여 노래 부르기가 힘들었다. •	• ㉢	[illegible]

14 다음을 보고 밑줄 친 관용어의 뜻풀이로 알[illegible]를 쓰세요.

- 할머니께서 봄을 타시는지 기운이 없게 보이셨다.
- 잘 먹는 친구가 급식을 남긴 것으로 봐서 봄을 타나 보다.

실력 진단 평가 2

제한 시간	맞힌 개수	선생님 확인
15분	/ 15	

01 ~ 04 다음 낱말에 알맞은 뜻풀이를 찾아 선으로 이으세요.

1	사다 •	• ㉠ 힘이 많다.
2	세다 •	• ㉡ 물건 등을 값을 받고 넘기다.
3	찾다 •	• ㉢ 무엇을 발견하기 위해 살피다.
4	팔다 •	• ㉣ 값을 치르고 자기 것으로 만들다.

05 ~ 07 다음 낱말의 뜻풀이에 알맞은 말을 보기에서 찾아 쓰세요.

보기

마음 이용 전달 환자

11 ~ 13 다음 밑줄 친 낱말과 바꾸어 쓸 수 있는 낱말을 찾아 선으로 이으세요.

11	우체통이 있는 위치를 말해 주었다. •	• ㉠ 보람
12	어려운 숙제를 하고 큰 만족감을 느꼈다. •	• ㉡ 선의
13	나는 호의로 친구의 무거운 짐을 들어 주었다. •	• ㉢ 장소

14 다음을 보고 밑줄 친 관용어의 뜻풀이로 알맞은 것의 기호를 쓰세요.

> 유명한 소설가께서 건강이 나빠져 붓을 꺾는다고 하셨다. 그 소식을 듣고 어머니께서는 많이 서운해 하셨다.

5 불편 : 몸이나 ☐☐이 편하지 않고 괴로움.

6 진료 : 의사가 ☐☐를 진찰하고 치료하는 일.

7 편리 : 편하고 이로우며 ☐☐하기 쉬움.

08 ~ 10 다음 빈칸에 들어갈 알맞은 낱말을 보기 에서 찾아 쓰세요.

보기: 우수한 자세한 판매한 평범한

8 내 신발은 어디에나 있는 ☐☐☐ 구두이다.

9 언니는 ☐☐☐ 성적으로 시험에 합격하였다.

10 어제 ☐☐☐ 귤을 또 사려고 했지만 다 팔리고 없었다.

㉠ 글을 쓰는 활동을 그만두다.
㉡ 글을 쓰는 활동을 시작하다.

15 다음 중 한자 성어 '금의환향'과 어울리는 것의 기호를 쓰세요.

㉠ 어려운 공부를 알려 주어 동생이 고맙다고 하였다.
㉡ 운동회 때 내가 가장 달리기를 잘하여 상을 받았다.
㉢ 월드컵에서 16강에 진출한 우리나라 선수들이 축하를 받으며 돌아왔다.

성취도 확인

성취도	최고예요!	잘했어요!	더 노력해요!
맞은 개수	13~15개	11~12개	10개 이하
학습법	기본적인 어휘력이 뛰어납니다. 더 많은 문제를 풀며 어휘력을 향상하세요.	낱말의 사전적 의미와 문맥적 쓰임을 익히고 적용하는 방법을 연습해야 합니다.	어휘력 보강을 위해 더욱 다양한 낱말을 접하고 매일 조금씩 학습해야 합니다.

정답은 정답과 해설 40쪽에 있습니다.

5 구분 : 일정한 [ ][ ]에 따라 전체를 몇 개로 갈라 나눔.

6 재배하다 : [ ][ ]을 심어 가꾸다.

7 햇볕 : 해가 내리쬐는 뜨거운 [ ][ ].

08 ~ 10 **다음 빈칸에 들어갈 알맞은 낱말을 보기 에서 찾아 쓰세요.**

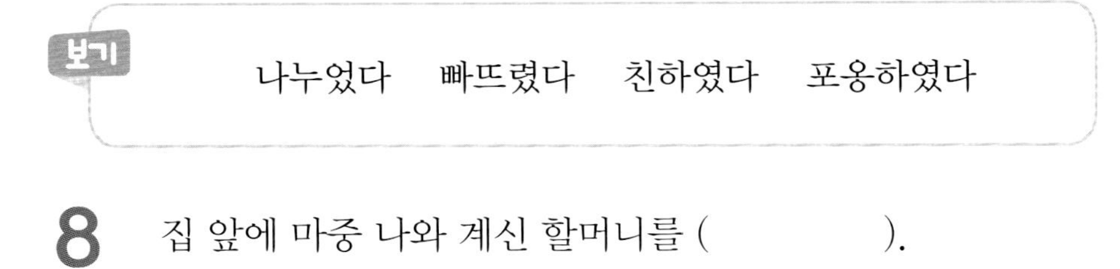
보기

나누었다 빠뜨렸다 친하였다 포옹하였다

8 집 앞에 마중 나와 계신 할머니를 (   ).

9 준비물을 가지고 오지 않은 친구에게 주려고 찰흙을 (   ).

10 짝과 싸워서 며칠째 말을 안 하고 있지만 예전에는 서로 (   ).

㉠ 심하게 갈증을 느끼다.
㉡ 봄철에 입맛이 없어지거나 몸이 나른해지고 피곤해지다.

15 **다음 중 속담 '쥐구멍에도 볕 들 날 있다'의 상황으로 알맞은 것의 기호를 쓰세요.**

㉠ 집중하여 숙제를 하는데 배가 고픈 보미.
㉡ 학교에 늦었는데 준비물까지 집에 두고 온 영찬.
㉢ 언젠가 합격할 거라며 시험에 떨어진 친구를 위로하는 지민.

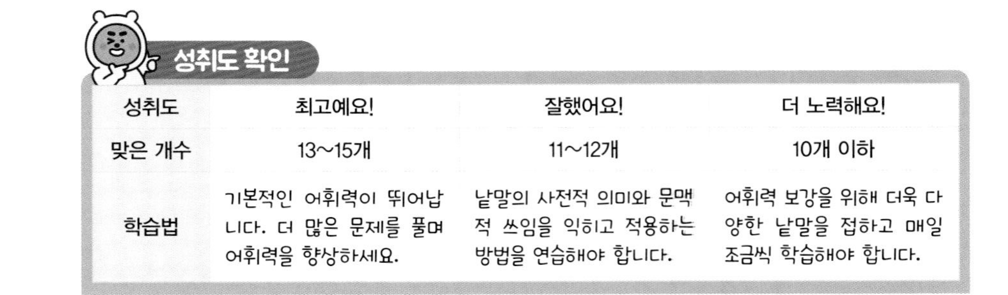
성취도 확인

성취도	최고예요!	잘했어요!	더 노력해요!
맞은 개수	13~15개	11~12개	10개 이하
학습법	기본적인 어휘력이 뛰어납니다. 더 많은 문제를 풀며 어휘력을 향상하세요.	낱말의 사전적 의미와 문맥적 쓰임을 익히고 적용하는 방법을 연습해야 합니다.	어휘력 보강을 위해 더욱 다양한 낱말을 접하고 매일 조금씩 학습해야 합니다.

정답은 정답과 해설 40쪽에 있습니다.

어휘력 향상에 꼭 필요한 필수 낱말 총정리

이 책을 추천합니다.

▸▸ 평소에 아이가 책을 많이 접하고 자주 읽게 하려고 노력하는 편인데, 다양한 책을 읽다 보면 당연히 알고 있을 것이라고 생각했던 쉬운 어휘를 모르는 경우가 종종 있었습니다. 그래서 어휘 공부의 필요성을 느끼고 있다가 추천 받은 이 책에서는 한자어, 고유어, 다의어, 동음이의어 등 다양한 기초 낱말과 한자 성어, 속담, 관용어 같은 어려운 내용까지 함께 배울 수 있어서 좋았습니다.
여러 가지 어휘를 모두 다루고 있어서 생각보다 많은 어휘가 들어 있지만, 그림도 있고 짤막한 예문과 문제로 이루어져서 아이가 지루하지 않게 공부할 수 있었습니다. 풍부한 어휘력을 기초부터 다져 나갈 수 있는 좋은 책이라고 생각합니다.

– 이미정 (안산초등학교 3학년 학부모)

▸▸ 지금까지 따로 국어 어휘 공부를 시켜 본 적은 없었는데, 아이가 초등학교 고학년이 되면서 긴 글을 읽을 때 독해력이 조금은 부족한 것 같았습니다. 어휘력이 먼저 기본이 되어야 독해력도 올라갈 것이라는 생각에 이 책으로 어휘 공부를 시작했는데, 어휘를 효과적으로 익힐 수 있어서 이 책을 시작하길 잘했다는 생각이 듭니다.
한 회가 3회로 나누어져 있어서 세부 계획을 세워 매일매일 공부하기에 좋았고, 어휘를 공부한 뒤 제대로 학습했는지를 다시 체크하는 체크 박스도 유용하게 활용하였습니다. 먼저 어휘를 익히고 확인 학습을 푼 다음에 부록의 어휘력 테스트까지 3단계로 공부하니, 아이에게 자연스럽게 반복 학습이 되는 점이 가장 좋았습니다.

– 황이숙 (고은초등학교 6학년 학부모)

▸▸ 탄탄한 어휘력은 독해의 기본입니다. 길고 어려운 글을 독해할 때 우리는 어휘를 중심으로 내용을 유추하며 맥락을 파악합니다. 그러나 탄탄한 어휘력을 쌓는 일은 단시간에 문제를 많이 푼다고 이루어지는 것이 아닙니다. 평소에 좋은 글을 많이 접하고, 어휘가 문장 안에서 어떤 의미로 사용되고 있는지, 이를 대체할 낱말들에는 무엇이 있는지를 곰곰이 생각해 보는 연습이 필요합니다.
물론 처음 시작은 어려울 수 있습니다. 하지만 교과서에서 선별한 다양한 어휘가 실린 이 책으로 초등학생 때부터 낱말의 뜻을 스스로 생각해 보는 꾸준한 연습을 통해 어휘의 기본기를 다진다면, 앞으로의 국어 공부에 큰 도움이 될 것이라고 생각합니다.

– 신주용 (서울대 자유전공학부 19학번)

▸▸ 제가 공부를 하며 깨달았던 것은 모든 학습은 결국 기초를 다지는 것부터 시작한다는 점입니다. 수능 국어 지문들은 점점 더 복합적이고 난해하게 변화하고 있으며, 이를 이해하기 위한 독해력은 하루 이틀 공부한다고 생겨나는 것이 아닙니다. 단순히 책을 많이 읽는 것이 아니라, 가능한 이른 시기부터 체계적으로 준비해야 합니다.
즉 초등학생 때부터 어휘를 알고, 문장을 이해하고, 문단과 구조를 파악하는 연습이 꾸준히 이루어져야 합니다. 기초부터 다진 풍부한 어휘력에서 오는 자신감은 국어뿐만 아니라 다른 과목의 학습에 있어서도 큰 도움이 되리라고 생각합니다. 다양한 어휘를 내 것으로 만들어 이해하려는 연습은 앞으로의 공부에 든든한 기초가 될 것입니다.

– 한송현 (고려대 경제학과 19학번)

'일등급 어휘력'으로 어휘력과 학습 능력을 키워 보세요!

초등 국어

일등급 어휘력

1

이 책으로 공부해야 하는

어휘력은 곧 학습 능력

- **어휘력이 중요한 이유** 초등학생 시기에 형성된 어휘력이 생각하는 힘을 길러 주며, 모든 학습 능력의 기초가 됩니다.
- **어휘력 향상 학습 시스템** 교과 어휘와 심화 어휘를 모두 익히는 이 책의 학습 시스템과 알차고 풍성한 내용으로 어휘력을 확실히 키울 수 있습니다.

초등 교과서에서 24개의 주제어 선정

- **교과서를 분석한 주제어** 1, 2학년 교과서를 분석하여 초등 교과 이해력과 일상생활의 어휘력을 향상하는 데 도움이 되는 주제어를 선별하였습니다.
- **연상되는 낱말 학습** 재미있는 주제어를 통해 교과서 필수 낱말을 익히고, 주제어별로 연상되는 낱말을 효과적으로 학습할 수 있습니다.

교과 어휘 & 심화 어휘로 연관된 어휘를 학습

교과 어휘 전 과목 교과서에 수록된 필수 어휘

- 교과서에서 배우는 꼭 알아야 하는 낱말을 주제어별로 묶어서 공부합니다.

심화 어휘 어휘력 향상에 도움이 되는 어려운 어휘

- 교과 어휘와 연관된 비슷한말, 반대말, 헷갈리는 말, 동음이의어, 관용어, 속담, 한자 성어 등을 심화 어휘로 수록하여 더욱 풍부한 어휘 학습이 가능합니다.

다양한 문제로 어휘력을 향상하는 학습 시스템

- **확인 학습** 어휘의 사전적 의미와 문맥적 쓰임, 상황에 어울리는 표현 등을 이해하고 있는지 확인합니다.
- **어휘력 테스트** 본문의 회차와 대응되는 24회의 테스트로 학습 내용을 다시 점검하여 배운 낱말을 복습합니다.

이 책의 구조와

1 스스로 점검하며 **어휘 익히기**

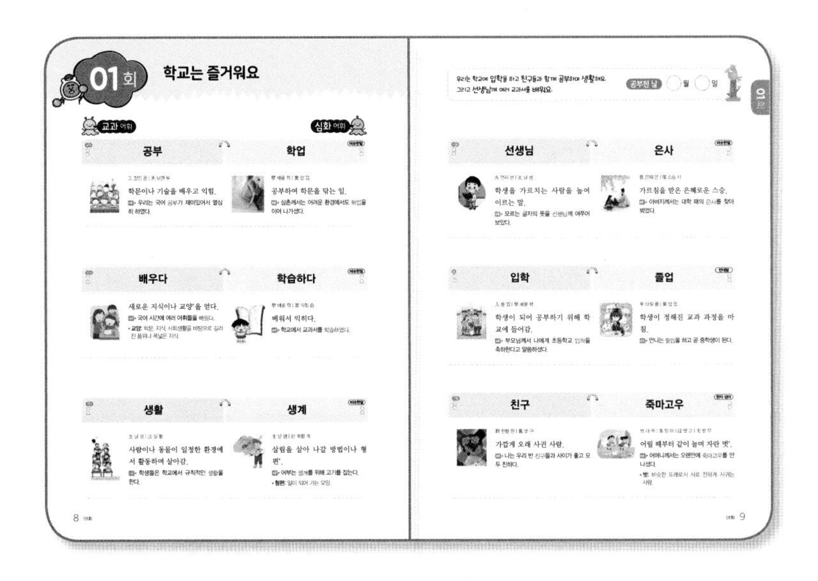

1. **주제별로 제시된 교과 어휘**의 뜻풀이와 예문을 읽으며 문장 속 낱말의 쓰임을 익힙니다.
2. 교과 어휘와 연계된 **심화 어휘를 익히며 어휘력을 확장**합니다.
3. 낱말 옆의 체크 박스로 아는 낱말을 **체크하고 복습**합니다.

2 문제를 풀며 **실력 다지기**

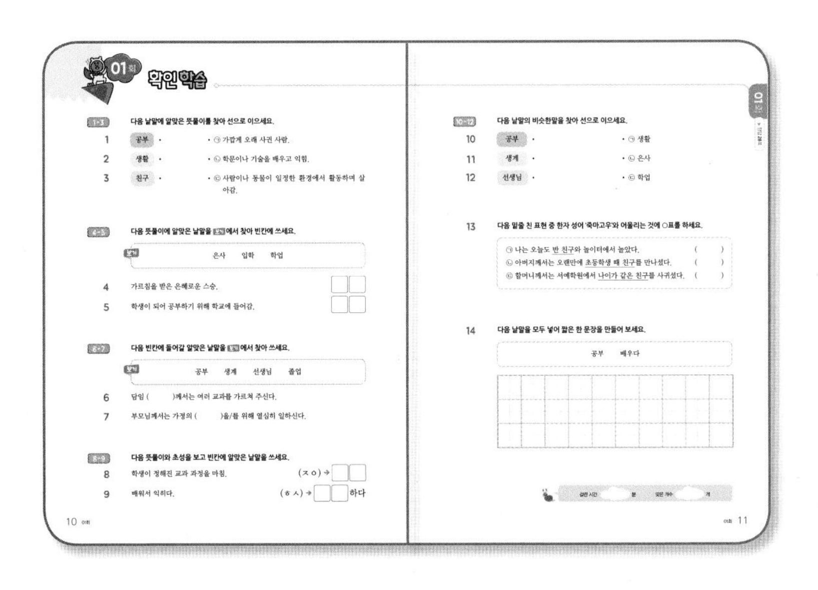

1. **다양한 유형의 문제**를 풀며 낱말을 잘 배웠는지 확인합니다.
2. 교과 어휘와 심화 어휘를 **골고루 익히고 문제에 적용**할 수 있는지 평가합니다.
3. 배운 낱말을 활용한 **짧은 글짓기 문제로 창의력**을 키웁니다.

어휘력 테스트:
1. 본문의 회차와 대응되는 **24회의 테스트로 학습 내용을 점검**합니다.
2. 간단한 문제를 풀며 **낱말을 다시 한 번 익혀서** 완전히 자신의 것으로 만듭니다.
3. 채점하여 점수를 기록하고, 틀린 문제의 낱말은 **뜻과 예문을 다시 살펴봅니다.**

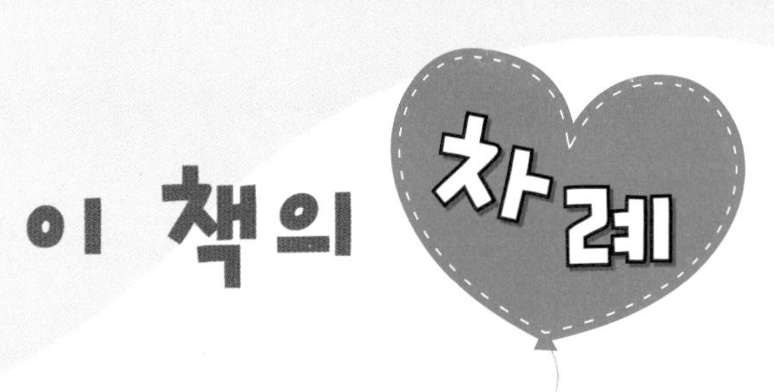
이 책의 차례

01회 학교는 즐거워요

공부

工 장인 공 | 夫 남편 부

학문이나 기술을 배우고 익힘.

예 우리는 국어 **공부**가 재미있어서 열심히 하였다.

학업

學 배울 학 | 業 업 업

공부하여 학문을 닦는 일.

예 삼촌께서는 어려운 환경에서도 **학업**을 이어 나가셨다.

배우다

새로운 지식이나 교양*을 얻다.

예 국어 시간에 여러 어휘들을 **배웠다.**

*교양: 학문, 지식, 사회생활을 바탕으로 길러진 품위나 폭넓은 지식.

학습하다

學 배울 학 | 習 익힐 습

배워서 익히다.

예 학교에서 교과서를 **학습하였다.**

생활

生 날 생 | 活 살 활

사람이나 동물이 일정한 환경에서 활동하며 살아감.

예 학생들은 학교에서 규칙적인 **생활**을 한다.

생계

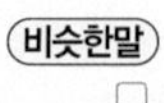

生 날 생 | 計 꾀할 계

살림을 살아 나갈 방법이나 형편*.

예 어부는 **생계**를 위해 고기를 잡는다.

*형편: 일이 되어 가는 모양.

우리는 학교에 **입학**을 하고 **친구**들과 함께 **공부**하며 **생활**해요.
그리고 **선생님**께 여러 교과서를 **배워요**.

  월  일

가을

선생님

先 먼저 선 | 生 날 생

학생을 가르치는 사람을 높여 이르는 말.

예 모르는 글자의 뜻을 **선생님**께 여쭈어 보았다.

은사

恩 은혜 은 | 師 스승 사

가르침을 받은 은혜로운 스승.

예 아버지께서는 대학 때의 **은사**를 찾아 뵈었다.

봄

입학

入 들 입 | 學 배울 학

학생이 되어 공부하기 위해 학교에 들어감.

예 부모님께서 나에게 초등학교 **입학**을 축하한다고 말씀하셨다.

졸업

卒 마칠 졸 | 業 업 업

학생이 정해진 교과 과정을 마침.

예 언니는 **졸업**을 하고 곧 중학생이 된다.

겨울

친구

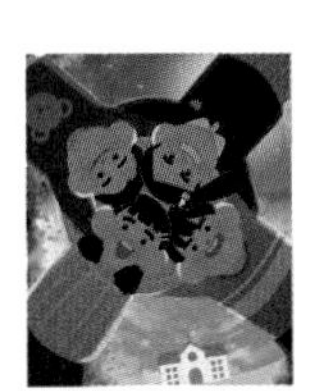

親 친할 친 | 舊 옛 구

가깝게 오래 사귄 사람.

예 나는 우리 반 **친구**들과 사이가 좋고 모두 친하다.

죽마고우

竹 대 죽 | 馬 말 마 | 故 옛 고 | 友 벗 우

어릴 때부터 같이 놀며 자란 벗*.

예 어머니께서는 오랜만에 **죽마고우**를 만나셨다.

*벗: 비슷한 또래로서 서로 친하게 사귀는 사람.

확인 학습

1-3 **다음 낱말에 알맞은 뜻풀이를 찾아 선으로 이으세요.**

1 공부 •

2 생활 •

3 친구 •

• ㉠ 가깝게 오래 사귄 사람.

• ㉡ 학문이나 기술을 배우고 익힘.

• ㉢ 사람이나 동물이 일정한 환경에서 활동하며 살아감.

4-5 **다음 뜻풀이에 알맞은 낱말을 보기에서 찾아 빈칸에 쓰세요.**

보기: 은사 입학 학업

4 가르침을 받은 은혜로운 스승. □□

5 학생이 되어 공부하기 위해 학교에 들어감. □□

6-7 **다음 빈칸에 들어갈 알맞은 낱말을 보기에서 찾아 쓰세요.**

보기: 공부 생계 선생님 졸업

6 담임 ( )께서는 여러 교과를 가르쳐 주신다.

7 부모님께서는 가정의 ( )을/를 위해 열심히 일하신다.

8-9 **다음 뜻풀이와 초성을 보고 빈칸에 알맞은 낱말을 쓰세요.**

8 학생이 정해진 교과 과정을 마침. (ㅈ ㅇ) → □□

9 배워서 익히다. (ㅎ ㅅ) → □□하다

10-12 다음 낱말의 비슷한말을 찾아 선으로 이으세요.

10 공부 • • ㉠ 생활

11 생계 • • ㉡ 은사

12 선생님 • • ㉢ 학업

13 다음 밑줄 친 표현 중 한자 성어 '죽마고우'와 어울리는 것에 ○표를 하세요.

㉠ 나는 오늘도 반 친구와 놀이터에서 놀았다. ( )
㉡ 아버지께서는 오랜만에 초등학생 때 친구를 만나셨다. ( )
㉢ 할머니께서는 서예학원에서 나이가 같은 친구를 사귀셨다. ( )

14 다음 낱말을 모두 넣어 짧은 한 문장을 만들어 보세요.

공부 배우다

걸린 시간 분 맞은 개수 개

02회 준비물이 필요해요

나누다

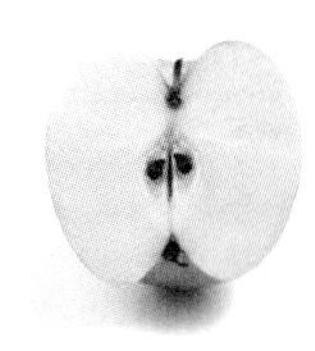

하나를 둘이나 그보다 많게 가르다.

예 짝꿍과 같이 먹으려고 사과를 반으로 똑같이 나누었다.

손을 나누다

일을 여럿이 나누어 하다.

예 시골에서는 농사로 바쁠 때에 손을 나눈다.

국어

문방구

文 글월 문 | 房 방 방 | 具 갖출 구

학용품과 사무용품 등을 통틀어 이르는 말 또는 파는 곳.

예 할아버지 방에는 문방구가 많다.

문구점

文 글월 문 | 具 갖출 구 | 店 가게 점

학용품과 사무용품 등을 파는 곳.

예 준비물이 필요해서 문구점에 갔다.

국어

물건

物 만물 물 | 件 사건 건

일정한 생김새를 갖춘 모든 물질적 대상.

예 다른 사람의 물건은 마음대로 만지면 안 된다.

물품

物 만물 물 | 品 물건 품

일정하게 쓸 만한 값어치*가 있는 물건.

예 여행에 가져갈 물품들을 가방 안에 넣었다.

* **값어치:** 일정한 값에 해당하는 쓸모나 가치.

우리는 학교 수업에 **필요**한 **물건**을 **챙기고**, **문방구**에서 사기도 해요.
만약 준비물을 **빠뜨린** 친구가 있다면 **나누어** 써요.

공부한 날 ( )월 ( )일

국어

빠뜨리다

부주의*로 물건을 흘리어 잃어버리다.

예 책가방을 챙기다가 필통을 빠뜨렸다.

*부주의: 조심을 하지 아니함.

비슷한말

분실하다

紛 어지러울 분 | 失 잃을 실

자기도 모르는 사이에 물건 등을 잃어버리다.

예 어머니께서 휴대 전화를 분실하셨다.

국어

챙기다

빠짐이 없도록 살피거나 갖추다.

예 잠자기 전에 내일 수업 준비물을 모두 챙겼다.

비슷한말

단속하다

團 둥글 단 | 束 묶을 속

주의를 기울여 다잡거나 보살피다.

예 길을 잘 건너도록 동생을 단속하였다.

여름

필요

必 반드시 필 | 要 중요할 요

반드시 요구*되는 바가 있음.

예 아버지께서는 요리에 필요한 생선을 사셨다.

*요구: 어떠한 것을 필요하다고 바라거나 청함.

반대말

불필요

不 아닐 불 | 必 반드시 필 | 要 중요할 요

필요하지 않음.

예 전기를 아끼기 위하여 불필요한 전깃불은 꺼야 한다.

확인 학습

1-3 **다음 낱말의 뜻풀이로 알맞은 것에 ○표를 하세요.**

1 물품
㉠ 필요하지 않음. ( )
㉡ 일정하게 쓸 만한 값어치가 있는 물건. ( )

2 분실하다
㉠ 하나를 둘이나 그보다 많게 가르다. ( )
㉡ 자기도 모르는 사이에 물건 등을 잃어버리다. ( )

3 빠뜨리다
㉠ 주의를 기울여 다잡거나 보살피다. ( )
㉡ 부주의로 물건을 흘리어 잃어버리다. ( )

4-5 **다음 뜻풀이에 알맞은 낱말을 찾아 선으로 이으세요.**

4 일정한 생김새를 갖춘 모든 물질적 대상. • • ㉠ 문방구

5 학용품과 사무용품 등을 통틀어 이르는 말 또는 파는 곳. • • ㉡ 물건

6-7 **다음 빈칸에 들어갈 알맞은 낱말을 보기 에서 찾아 쓰세요.**

보기: 나누었다 단속하였다 빠뜨렸다

6 짝이 숙제를 꼭 해 오도록 ( ).

7 준비물을 가지고 오지 않은 친구에게 주려고 찰흙을 ( ).

8-9 **다음 뜻풀이와 초성을 보고 빈칸에 알맞은 낱말을 쓰세요.**

8 빠짐이 없도록 살피거나 갖추다. (ㅊㄱㄷ) → □□□

9 반드시 요구되는 바가 있음. (ㅍㅇ) → □□

▶ 정답 28쪽

10-12 **다음 밑줄 친 낱말과 바꾸어 쓸 수 있는 낱말을 찾아 선으로 이으세요.**

10 모두가 나누어 청소하였다. • • ㉠ 분실하여

11 열쇠를 빠뜨려 사물함을 열지 못하였다. • • ㉡ 손을 나누어

12 물건을 단속하여 잃어버리지 말아야 한다. • • ㉢ 챙겨

13 **다음을 보고 밑줄 친 관용어의 뜻풀이로 알맞은 것의 기호를 쓰세요.**

- 명절에 손을 나누어 음식을 만들었다.
- 친구들과 보육원에 봉사 활동을 가서 손을 나누어 아이들을 돌보았다.

㉠ 어떤 일을 시작하다.
㉡ 하던 일을 그만두다.
㉢ 일을 여럿이 나누어 하다.

14 **다음 낱말을 모두 넣어 짧은 한 문장을 만들어 보세요.**

물건 챙기다

걸린 시간 분 맞은 개수 개

03회 안전하게 길을 건너요

건널목

길에서 사람이 가로 건너다닐 수 있도록 만들어 놓은 곳.

예 건널목에서 손을 들고 차가 오는지 살피며 길을 건넜다.

횡단보도

橫 가로 횡 | 斷 끊을 단 | 步 걸음 보 | 道 길 도

사람이 가로로 건너다닐 수 있도록 표지를 갖추어 차도 위에 마련한 길.

예 횡단보도를 건널 때에는 주위를 잘 살펴보아야 한다.

구분

區 구역 구 | 分 나눌 분

일정한 기준에 따라 전체를 몇 개로 갈라 나눔.

예 국기를 나라별로 구분을 하였다.

선별

選 가릴 선 | 別 다를 별

가려서 따로 나눔.

예 예쁜 단풍잎으로 선별을 해서 할머니께 보여 드렸다.

규칙

規 법 규 | 則 법 칙

여러 사람이 다 같이 지키기로 한 법칙.

예 운동 경기를 할 때는 규칙을 잘 지켜야 한다.

속담

급하면 바늘허리*에 실 매어 쓸까

아무리 급해도 순서를 밟아서 일해야 함.

예 급하면 바늘허리에 실 매어 쓸까, 어머니께서는 아무리 배가 고파도 밥은 뜸을 들여야 한다고 말씀하셨다.

*바늘허리: 바늘의 가운데 부분.

건널목에서는 꼭 **인도**에 서 있어야 해요. 초록불이 켜졌는지 **신호**를 잘 **구분**하여, 차가 **멈추면** 그때 건너요. **규칙**은 항상 잘 지켜야 하지요.

월

일

가을

멈추다

사물의 움직임이나 동작이 그치다.

예 자전거를 타고 가다가 꽃을 보려고 멈추었다.

비슷한말

중지하다

中 가운데 중 | 止 그칠 지

하던 일을 중도*에서 그만두다.

예 선생님께서 오시니 아이들이 싸움을 중지하였다.

*중도: 일이 진행되어 가는 동안.

봄

신호

信 믿을 신 | 號 부르짖을 호

일정한 부호, 표지 등으로 어떤 정보를 전달하거나 지시함. 또는 그 부호.

예 초록색 신호를 보고 길을 건넜다.

비슷한말

기호

記 기록할 기 | 號 부르짖을 호

어떠한 뜻을 나타내기 위하여 쓰이는 부호, 문자, 표지 등을 통틀어 이르는 말.

예 컴퓨터 키보드에는 여러 가지 기호가 있다.

국어

인도

人 사람 인 | 道 길 도

걸어서 다니는 사람들이 지나다니는 데 사용하도록 된 도로.

예 길을 건널 때 빨간불에는 인도에 있어야 한다.

반대말

차도

車 수레 차 | 道 길 도

사람이 다니는 길 등과 구분하여 자동차만 다니게 한 길.

예 차도에서는 공놀이를 하면 안 된다.

확인 학습

1-2 **다음 초성을 보고 낱말의 뜻풀이에 들어갈 알맞은 낱말을 빈칸에 쓰세요.**

1 구분 : 일정한 ☐☐(ㄱㅈ)에 따라 전체를 몇 개로 갈라 나눔.

2 차도 : 사람이 다니는 길 등과 구분하여 ☐☐☐(ㅈㄷㅊ)만 다니게 한 길.

3-4 **다음 뜻풀이에 알맞은 낱말을 찾아 ○표를 하세요.**

3 가려서 따로 나눔. (건널목 , 선별)

4 어떠한 뜻을 나타내기 위하여 쓰이는 부호, 문자, 표지 등을 통틀어 이르는 말. (기호 , 인도)

5-6 **다음 낱말이 들어가기에 알맞은 문장을 찾아 선으로 이으세요.**

5 신호 • • ㉠ 함부로 ( )를 건너서는 안 된다.

6 차도 • • ㉡ 친구가 손짓으로 오라는 ( )를 하였다.

7-8 **다음 뜻풀이와 초성을 보고 빈칸에 알맞은 낱말을 쓰세요.**

7 길에서 사람이 가로 건너다닐 수 있도록 만들어 놓은 곳. (ㄱㄴㅁ) → ☐☐☐

8 여러 사람이 다 같이 지키기로 한 법칙. (ㄱㅊ) → ☐☐

9 **다음 중 짝 지어진 낱말의 관계가 나머지와 다른 것의 기호를 쓰세요.**

㉠ 건널목 – 횡단보도	㉡ 멈추다 – 중지하다	㉢ 인도 – 차도

10-11 **다음 밑줄 친 낱말과 바꾸어 쓸 수 있는 낱말을 찾아 선으로 이으세요.**

10 귤을 크기에 따라서 구분을 하였다. • • ㉠ 기호

11 자전거가 그려진 표지판은 자전거를 타 도 된다는 신호이다. • • ㉡ 선별

12 **다음 대화를 보고 밑줄 친 속담의 뜻풀이로 알맞은 것의 기호를 쓰세요.**

윤지: 학교에 지각하겠어! 왜 이렇게 신호등이 안 바뀌지……. 안 되겠다! 차가 안 오니까 건너야지!
경찰: 안 돼! 급하면 바늘허리에 실 매어 쓸까, 차가 안 오더라도 초록색 신호일 때 건너야지!

㉠ 급하면 누구나 실수를 한다.
㉡ 아무리 급해도 지킬 것은 지켜야 한다.
㉢ 급할 때는 가장 빠른 방법으로 해내야 한다.

13 **다음 낱말을 모두 넣어 짧은 한 문장을 만들어 보세요.**

신호 멈추다

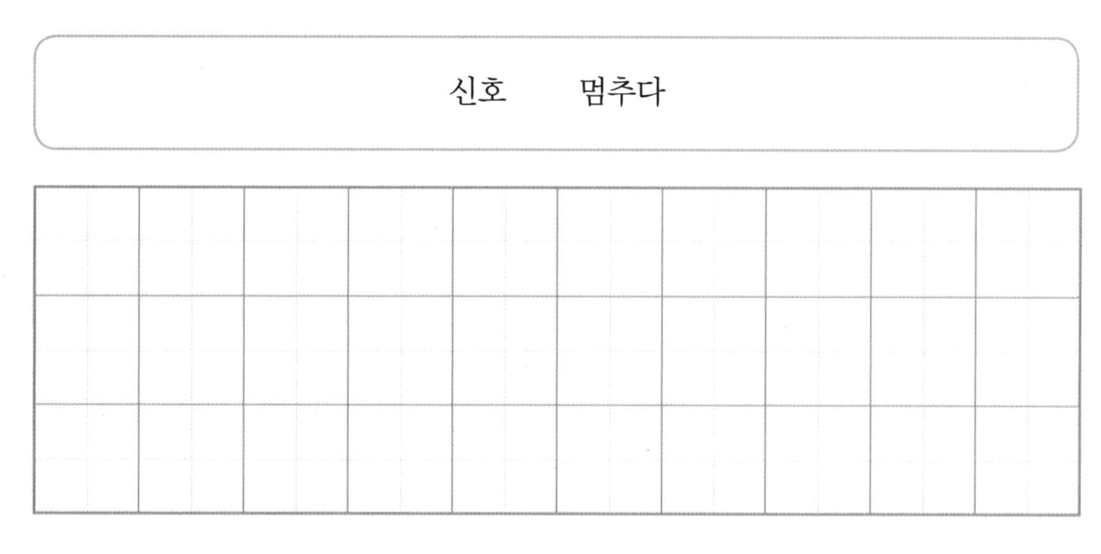

걸린 시간 분 맞은 개수 개

반갑게 인사해요

국어

껴안다

두 팔로 감싸서 품에 안다.

예 집에 가자마자 반갑게 맞이하는 강아지를 껴안았다.

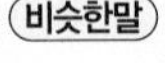

포옹하다

抱 안을 포 | 擁 안을 옹

사람을 또는 사람끼리 품에 껴안다.

예 오랜만에 만난 친구와 포옹하였다.

국어

사이

서로 맺은* 관계.

예 꽃과 벌은 서로 도와주는 사이이다.

*맺다: 관계나 인연 등을 이루거나 만들다.

비슷한말

관계

關 빗장 관 | 係 걸릴 계

둘 또는 여러 대상이 서로 연결되어 얽혀* 있음.

예 흥부와 놀부는 형제 관계이다.

*얽히다: 이리저리 관련이 되다.

여름

소개

紹 이을 소 | 介 끼일 개

서로 모르는 사이를 알고 지내도록 관계를 맺어 줌.

예 친구의 소개로 친구의 동생을 만났다.

비슷한말

추천

推 옮길 추 | 薦 드릴 천

어떤 조건에 알맞은 대상을 소개함.

예 선생님께서 우리가 알아야 할 박물관의 보물들을 추천해 주셨다.

우리는 만나면 **인사**를 하고 **안부**를 물으며 모르는 **사이**는 서로를 **소개**해요.
그리고 **친한** 친구와 오랜만에 만나면 **껴안기도** 해요.

월 일

국어

안부

비슷한말

소식

安 편안할 안 | 否 아닐 부

잘 지내고 있는지에 대한 소식이나 인사로 그것을 전하거나 묻는 일.

예 선생님께 **안부**를 여쭈었다.

消 꺼질 소 | 息 숨쉴 식

멀리 떨어져 있는 사람의 사정* 을 알리는 말이나 글.

예 전학 간 친구에게 **소식**이 왔다.

*사정: 일이 되어 가는 상태나 까닭.

봄

인사

관용어

인사를 붙이다

人 사람 인 | 事 일 사

만나거나 헤어질 때에 예를 갖추는 말이나 행동.

예 등굣길에 만난 친구에게 **인사**하였다.

처음 만나는 사람끼리 이름을 통하여 자기를 소개하다.

예 처음 만난 친구에게 웃으며 **인사를 붙였다**.

국어

친하다

비슷한말

막역하다

親 친할 친

가까이 사귀어 정이 두텁다.

예 나와 짝꿍은 무척 **친하다**.

莫 없을 막 | 逆 거스를 역

허물없이* 아주 친하다.

예 우리 가족은 이웃과 **막역하다**.

*허물없이: 서로 매우 친하여, 남을 대할 때 조심할 필요가 없이.

확인 학습

1-3 **다음 낱말에 알맞은 뜻풀이를 찾아 선으로 이으세요.**

1 관계 •　　• ㉠ 어떤 조건에 알맞은 대상을 소개함.

2 소식 •　　• ㉡ 둘 또는 여러 대상이 서로 연결되어 얽혀 있음.

3 추천 •　　• ㉢ 멀리 떨어져 있는 사람의 사정을 알리는 말이나 글.

4-5 **다음 뜻풀이에 알맞은 낱말을 보기 에서 찾아 빈칸에 쓰세요.**

보기

사이　　소개　　인사

4 만나거나 헤어질 때에 예를 갖추는 말이나 행동. □□

5 서로 모르는 사이를 알고 지내도록 관계를 맺어 줌. □□

6-7 **다음 문장에 들어가기에 알맞은 낱말을 찾아 선으로 이으세요.**

6 집 앞에 마중 나와 계신 할머니께 달려가서 (　　　　). •　　• ㉠ 친하였다

7 짝과 싸워서 며칠째 말을 안 하고 있지만 예전에는 (　　　　). •　　• ㉡ 포옹하였다

8-9 **다음 뜻풀이와 초성을 보고 빈칸에 알맞은 낱말을 쓰세요.**

8 허물없이 아주 친하다. (ㅁ ㅇ) → □□하다

9 잘 지내고 있는지에 대한 소식이나 인사로 그것을 전하거나 묻는 일. (ㅇ ㅂ) → □□

10-12 다음 낱말의 비슷한말을 찾아 선으로 이으세요.

10 사이 •　　　　• ㉠ 관계

11 안부 •　　　　• ㉡ 소개

12 추천 •　　　　• ㉢ 소식

13 보기 의 빈칸에 공통으로 들어갈 관용어를 완성하세요.

보기
- 놀이터에서 처음 본 친구에게 (　　　　).
- 새 학년이 되어 교실에 들어갔을 때 어떤 아이가 (　　　　).

→ ☐☐를 붙였다

14 다음 낱말을 모두 넣어 짧은 한 문장을 만들어 보세요.

사이　　친하다

걸린 시간 　　분　　맞은 개수 　　개

05회 따뜻한 봄이 왔어요

녹다

얼음이나 얼음같이 매우 차가운 것이 열을 받아 액체가 되다.

예 햇빛 때문에 아이스크림이 녹았다.

해빙하다

解 풀 해 | 氷 얼음 빙

얼음이 녹아 풀리다.

예 지구의 온도가 올라가 남극의 얼음이 해빙하였다.

달라지다

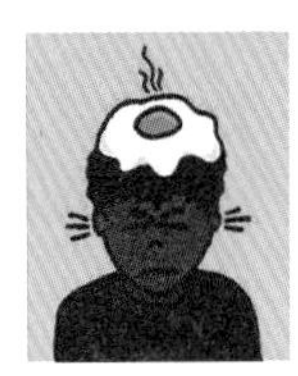

변하여 전과 다르게 되다.

예 친구가 거짓말을 하여 나의 얼굴색이 달라졌다.

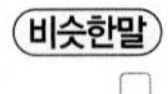

변하다

變 변할 변

무엇이 다른 것이 되거나 다른 성질*로 달라지다.

예 하늘이 흐리다가 맑게 변하였다.

*성질: 사물이나 현상이 가지고 있는 고유의 본바탕.

따뜻하다

덥지 않을 정도로 온도가 알맞게 높다.

예 봄이 되니 날씨가 따뜻하다.

온난하다

溫 따뜻할 온 | 暖 따뜻할 난

날씨가 따뜻하다.

예 제주도는 일 년 내내 날이 온난하다.

봄이 오면 땅이 녹고 날이 따뜻해져서 옷차림이 가벼워져요.
그리고 철새들이 돌아오고 새싹들이 나와서 풍경이 많이 달라지지요.

월 일

봄

봄

사계절의 하나. 겨울과 여름 사이로 3월~5월이다.

예 겨울이 가고 드디어 봄이 왔다.

봄을 타다

봄철에 입맛이 없어지거나 몸이 나른해지고 파리해지다*.

예 동생은 봄을 타는지 저녁밥을 먹지 않았다.

*파리하다: 몸이나 얼굴이 핏기가 없이 해쓱하다.

봄

옷차림

옷을 갖추어 입거나 차려입은 모양.

예 어머니께서는 회사에 늦지 않기 위해 옷차림을 서두르셨다.

복장

服 입을 복 | 裝 꾸밀 장

옷을 차려입은 모양.

예 나는 집에 있을 때에는 편한 복장을 좋아한다.

국어

철새

알을 낳아 새끼를 기르는 곳과 겨울을 나는 곳이 달라 옮겨 다니며 사는 새.

예 우리나라에서 여름을 나는 여름 철새는 봄이 되면 돌아온다.

텃새

일 년 동안 거의 한 지역*에서만 살면서 수가 늘어나는 새.

예 비둘기는 흔하게 볼 수 있는 텃새이다.

*지역: 자연적 또는 사회적, 문화적 특성에 따라 일정하게 나눈 지리적 공간.

확인 학습

1-3 **다음 낱말의 뜻풀이로 알맞은 것에 ○표를 하세요.**

1 녹다
- ㉠ 변하여 전과 다르게 되다. ( )
- ㉡ 얼음이나 얼음같이 매우 차가운 것이 열을 받아 액체가 되다. ( )

2 따뜻하다
- ㉠ 덥지 않을 정도로 온도가 알맞게 높다. ( )
- ㉡ 무엇이 다른 것이 되거나 다른 성질로 달라지다. ( )

3 해빙하다
- ㉠ 날씨가 따뜻하다. ( )
- ㉡ 얼음이 녹아 풀리다. ( )

4-5 **다음 뜻풀이에 알맞은 낱말을 찾아 선으로 이으세요.**

4 일 년 동안 거의 한 지역에서만 살면서 수가 늘어나는 새. •   • ㉠ 철새

5 알을 낳아 새끼를 기르는 곳과 겨울을 나는 곳이 달라 옮겨 다니며 사는 새. •   • ㉡ 텃새

6-7 **다음 빈칸에 들어갈 알맞은 낱말을 보기 에서 찾아 쓰세요.**

보기
녹아서   변해서   온난해서

6 우리나라의 남쪽 지방은 ( ) 눈이 적게 내린다.

7 날이 추워져 길에 있던 물이 얼음으로 ( ) 미끄러웠다.

8-9 **다음 뜻풀이와 초성을 보고 빈칸에 알맞은 낱말을 쓰세요.**

8 변하여 전과 다르게 되다. (ㄷㄹㅈㄷ) → □□□□

9 옷을 갖추어 입거나 차려입은 모양. (ㅇㅊㄹ) → □□□

10-12 **다음 밑줄 친 낱말과 바꾸어 쓸 수 있는 낱말을 찾아 선으로 이으세요.**

10 빙하가 해빙하여 북극곰이 죽고 있다. • • ㉠ 녹아

11 봄에는 온난하여 두꺼운 옷이 필요 없다. • • ㉡ 달라져

12 목감기 때문에 목소리가 변하여 노래 부르기가 힘들었다. • • ㉢ 따뜻하여

13 **다음을 보고 밑줄 친 관용어의 뜻풀이로 알맞은 것의 기호를 쓰세요.**

- 할머니께서 봄을 타시는지 기운이 없게 보이셨다.
- 잘 먹는 친구가 급식을 남긴 것으로 봐서 봄을 타나 보다.

㉠ 심하게 갈증을 느끼다.
㉡ 봄철에 입맛이 없어지거나 몸이 나른해지고 파리해지다.

14 **다음 낱말을 모두 넣어 짧은 한 문장을 만들어 보세요.**

봄　　달라지다

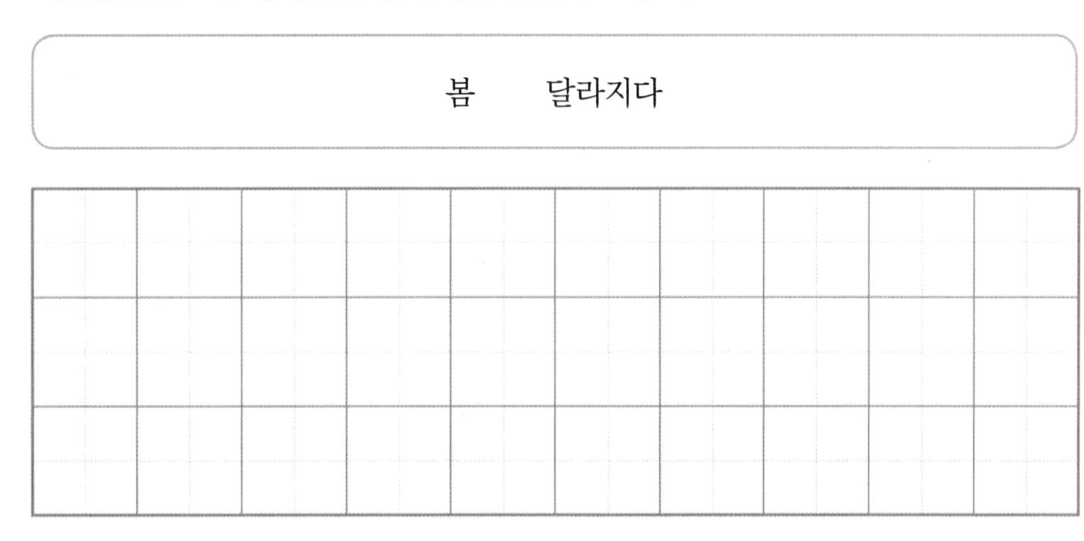

걸린 시간 분 맞은 개수 개

새싹이 나왔어요

기르다

동식물*을 보살펴 자라게 하다.

예 나는 고양이를 기른다.

*동식물: 동물과 식물을 모아 이르는 말.

양육하다

養 기를 양 | 育 기를 육

아이를 보살펴서 자라게 하다.

예 부모님께서는 나를 양육하신다.

여름

심다

식물의 뿌리나 씨앗 등을 흙 속에 묻다.

예 식목일에 동생과 함께 사과나무를 심었다.

재배하다

栽 심을 재 | 培 북돋울 배

식물을 심어 가꾸다.

예 고구마를 텃밭에서 재배하였다.

봄

씨앗

곡식이나 채소 등의 씨.

예 내가 심었던 씨앗에서 드디어 싹이 나왔다.

종자

種 씨 종 | 子 아들 자

식물에서 나온 씨 또는 씨앗.

예 할아버지께서 농사는 좋은 종자로 지어야 한다고 말씀하셨다.

씨앗을 **흙**에 **심고 햇볕**을 받으면 새싹이 나오고 점점 **자라요.**
그리고 새싹을 잘 **기르면** 더 커져서 열매를 맺기도 하지요.

공부한 날 ( )월 ( )일

자라다

부분적으로 또는 전체적으로 점점 커지다.

예 머리카락이 많이 **자라서** 잘랐다.

성장하다

成 이룰 성 | 長 길 장

사람이나 동식물 등이 자라서 점점 커지다.

예 강아지가 큰 개로 **성장하였다.**

국어

햇볕

해가 내리쬐는* 뜨거운 느낌.

예 열매는 **햇볕**을 받아야 잘 익는다.

*내리쬐다: 볕 등이 세차게 아래로 비치다.

취구멍에도 볕 들 날 있다

몹시 고생을 하는 삶도 좋은 운수*가 터질 날이 있음.

예 **쥐구멍에도 볕 들 날 있다**고, 언젠가는 성공하는 날이 올 것이다.

*운수: 인간의 힘으로 어쩔 수 없는 하늘의 운명.

국어

흙

바위가 부서진 것과 동식물의 썩은 것이 섞여 만들어진 가루나 작은 알갱이.

예 놀이터에 있는 **흙**으로 집을 만들었다.

토양

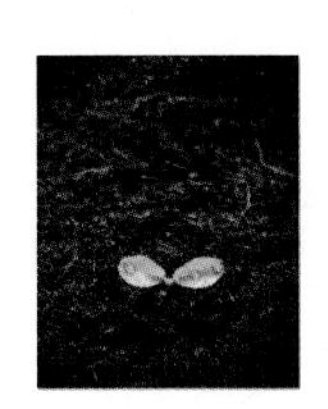

土 흙 토 | 壤 흙 양

자갈, 모래 등이 쌓여 있는 것으로, 식물을 자라게 할 수 있는 흙.

예 좋은 **토양**에서 식물이 잘 자란다.

확인 학습

1-3 **다음 초성을 보고 낱말의 뜻풀이에 들어갈 알맞은 낱말을 빈칸에 쓰세요.**

1 성장하다 : 사람이나 [ ][ ][ ](ㄷㅅㅁ) 등이 자라서 점점 커지다.

2 재배하다 : [ ][ ](ㅅㅁ)을 심어 가꾸다.

3 햇볕 : 해가 내리쬐는 뜨거운 [ ][ ](ㄴㄱ).

4-5 **다음 뜻풀이에 알맞은 낱말을 찾아 ○표를 하세요.**

4 식물의 뿌리나 씨앗 등을 흙 속에 묻다. (기르다 , 심다)

5 자갈, 모래 등이 쌓여 있는 것으로, 식물을 자라게 할 수 있는 흙. (종자 , 토양)

6-7 **다음 낱말이 들어가기에 알맞은 문장을 찾아 선으로 이으세요.**

6 성장하는 • • ㉠ 삼촌은 꽃을 (   ) 일을 하신다.

7 재배하는 • • ㉡ 내가 키우는 토끼가 (   ) 것을 보면 뿌듯하다.

8-9 **다음 뜻풀이와 초성을 보고 빈칸에 알맞은 낱말을 쓰세요.**

8 곡식이나 채소 등의 씨. (ㅆㅇ) → [ ][ ]

9 아이를 보살펴서 자라게 하다. (ㅇㅇ) → [ ][ ]하다

10 **다음 중 짝 지어진 낱말의 관계가 비슷한말인 것의 기호를 쓰세요.**

㉠ 심다 – 자라다   ㉡ 양육하다 – 기르다   ㉢ 재배하다 – 성장하다

11-12 **다음 밑줄 친 낱말과 바꾸어 쓸 수 있는 낱말을 보기 에서 찾아 쓰세요.**

보기
종자 햇볕 흙

11 지구의 토양에서 식물들은 잘 자란다. (   )

12 나는 상추 씨앗을 길러서 가족과 함께 먹을 것이다. (   )

13 **다음 중 속담 '쥐구멍에도 볕 들 날 있다'의 상황으로 알맞은 것의 기호를 쓰세요.**

㉠ 집중하여 숙제를 하는데 배가 고픈 보미.
㉡ 학교에 늦었는데 준비물까지 집에 두고 온 영찬.
㉢ 언젠가 합격할 거라며 시험에 떨어진 친구를 위로하는 지민.

14 **다음 낱말을 모두 넣어 짧은 한 문장을 만들어 보세요.**

씨앗 심다

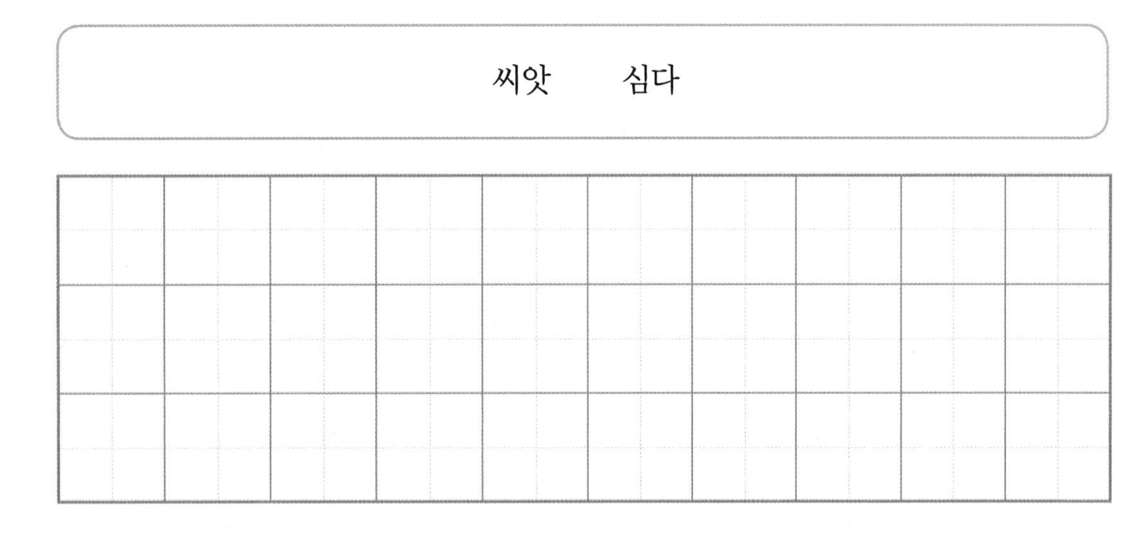

07회 자연을 만나요

여름

공기

空 빌 공 | 氣 기운 기

눈에 보이지 않고 냄새가 없는 투명한 기체.

예 산에 가서 맑은 **공기**를 들이마셨다.

관용어

공기가 팽팽하다

분위기*가 몹시 긴장되어 있다.

예 반 친구들이 싸워서 교실 **공기가 팽팽해졌다**.

*분위기: 대상이나 그 주변에서 풍겨 나오는 느낌.

봄

나들이

집을 떠나 가까운 곳에 잠시 다녀오는 일.

예 가족과 함께 자전거를 타고 **나들이**를 갔다.

비슷한말

산보

散 흩을 산 | 步 걸음 보

휴식*을 취하거나 건강을 위해서 천천히 걷는 일.

예 주말에 강아지와 **산보**를 다녀왔다.

*휴식: 하던 일을 멈추고 잠깐 쉼.

국어

맑다

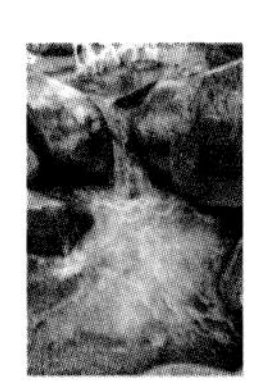

먼지처럼 아주 작은 물체가 섞이거나 흐리지 않고 깨끗하다.

예 계곡물이 **맑고** 시원하다.

반대말

탁하다

濁 흐릴 탁

액체나 공기 등에 다른 것이 섞여 흐리다.

예 붓을 넣으니 물이 **탁하게** 변하였다.

자연을 만나기 위해 숲으로 나들이를 가요.
숲에는 나무가 무성하고 공기가 맑지요.

공부한 날 ( )월 ( )일

여름

무성하다

茂 우거질 무 | 盛 성할 성

풀이나 나무 등이 자라서 우거져 있다.

예 집 앞에 풀이 무성하였다.

비슷한말

울창하다

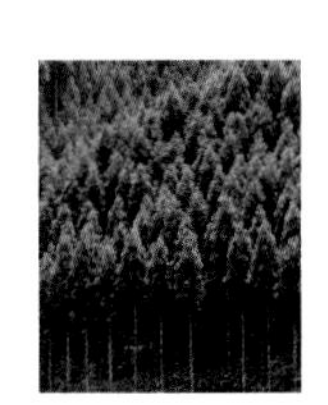

鬱 막힐 울 | 蒼 푸를 창

나무가 빽빽하게* 우거지고 푸르다.

예 산에 나무가 울창하게 자라고 있다.

*빽빽하다: 사이가 촘촘하다.

국어

숲

나무들이 무성하게 우거지거나 꽉 들어찬 것.

예 숲을 걷다가 하마터면 길을 잃을 뻔하였다.

비슷한말

삼림

森 나무 빽빽할 삼 | 林 수풀 림

나무가 많이 우거진 숲.

예 우리나라의 삼림을 보호해야 한다.

국어

자연

自 스스로 자 | 然 그럴 연

사람의 힘을 더하지 않고 저절로 이루어지는 모든 존재나 상태.

예 가을에는 울긋불긋한 자연 풍경을 볼 수 있다.

반대말

인조

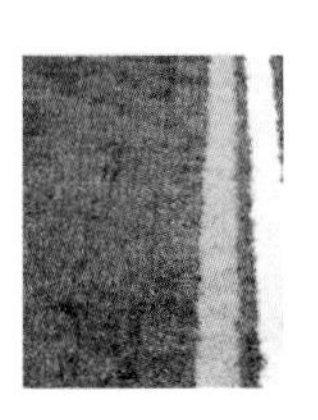

人 사람 인 | 造 지을 조

사람이 만듦. 또는 그런 물건.

예 학교 운동장에는 인조 잔디가 넓게 깔려 있다.

확인 학습

1-3 **다음 낱말에 알맞은 뜻풀이를 찾아 선으로 이으세요.**

1 나들이 • • ㉠ 사람이 만듦. 또는 그런 물건.

2 숲 • • ㉡ 집을 떠나 가까운 곳에 잠시 다녀오는 일.

3 인조 • • ㉢ 나무들이 무성하게 우거지거나 꽉 들어찬 것.

4-5 **다음 뜻풀이에 알맞은 낱말을 찾아 선으로 이으세요.**

4 풀이나 나무 등이 자라서 우거져 있다. • • ㉠ 무성하다

5 액체나 공기 등에 다른 것이 섞여 흐리다. • • ㉡ 탁하다

6-7 **다음 빈칸에 들어갈 알맞은 낱말을 보기 에서 찾아 쓰세요.**

보기

공기 산보 인조

6 저녁을 먹고 언니와 ☐☐를 갔다.

7 ☐☐는 사람이 숨을 쉬기 위해서 꼭 필요하다.

8-9 **다음 뜻풀이와 초성을 보고 빈칸에 알맞은 낱말을 쓰세요.**

8 먼지처럼 아주 작은 물체가 섞이거나 흐리지 않고 깨끗하다. (ㅁ ㄷ) → ☐☐

9 나무가 빽빽하게 우거지고 푸르다. (ㅇ ㅊ) → ☐☐하다

10-11 다음 낱말의 비슷한말을 찾아 선으로 이으세요.

10 산보 • • ㉠ 나들이

11 숲 • • ㉡ 삼림

12 다음 중 짝 지어진 낱말의 관계가 나머지와 다른 것의 기호를 쓰세요.

㉠ 맑다 – 탁하다 ㉡ 울창하다 – 무성하다 ㉢ 인조 – 자연

13 다음을 보고 밑줄 친 관용어의 뜻풀이를 완성하세요.

• 고양이들이 생선 한 마리를 두고 공기가 팽팽하였다.
• 달리기 결승전이 시작되어 운동장의 공기가 팽팽해졌다.

→ ☐☐☐가 몹시 긴장되어 있다.

14 다음 낱말을 모두 넣어 짧은 한 문장을 만들어 보세요.

나들이 울창하다

걸린 시간 분 맞은 개수 개

생명은 소중해요

꺾다

길고 곧은 물체를 휘어 펴지지 않게 하거나 부러뜨리다.

예 꽃이 예뻐도 마음대로 꺾으면 안 된다.

보호

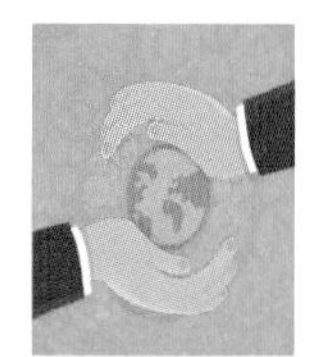

保 보전할 보 | 護 보호할 호

위험이나 곤란* 등이 미치지 않도록 잘 지키고 보살핌.

예 자연 보호는 모두 힘을 모아야 한다.

*곤란: 일이 되어 가는 것이 몹시 어려움.

생명

生 날 생 | 命 목숨 명

동물과 식물이 스스로 살아 있게 하는 힘.

예 작은 풀 하나라도 그 생명은 소중한 것이다.

붓을 꺾다

글을 쓰는 활동을 그만두다.

예 그 작가는 건강이 좋지 않아 며칠 전에 붓을 꺾었다.

보전

保 보전할 보 | 全 온전할 전

변화되지 않고 본바탕대로 잘 지키거나 유지함.

예 우리는 문화 유적 보전을 위해 노력해야 한다.

명맥

命 목숨 명 | 脈 맥 맥

살아 있는 목숨이나 맥을 이어 나가는 근본*.

예 판소리의 명맥은 계속 이어지고 있다.

*근본: 사물이나 생각 등이 생기는 본바탕.

우리는 **생명**이 있는 동식물을 **보호**하고 자연을 **아껴야** 해요.
풀밭에 있는 작은 풀도 **함부로 꺾으면** 안 돼요.

공부한 날 ( )월 ( )일

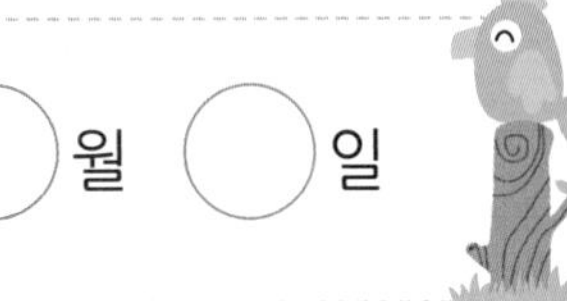

국어

아끼다

귀하고 중요하게 여겨 함부로 쓰거나 다루지 아니하다.

예 내가 **아끼는** 끈으로 머리를 묶었다.

비슷한말

절약하다

節 마디 절 | 約 맺을 약

꼭 필요한 데에만 써서 아끼다.

예 나는 용돈을 **절약하여** 어버이날 부모님께 드릴 선물을 샀다.

국어

풀밭

잡초*가 무성하게 많이 난 땅.

예 **풀밭**에서 아버지와 축구를 하였다.

*잡초: 가꾸지 않아도 저절로 나서 자라는 여러 가지 풀.

비슷한말

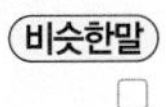

초원

草 풀 초 | 原 근원 원

풀이 나 있는 들판.

예 말들이 푸른 **초원**에 서 있다.

여름

함부로

마음대로 마구. 또는 생각 없이 아무렇게나.

예 쓰레기를 아무데나 **함부로** 버리면 안 된다.

비슷한말

분별없이

分 나눌 분 | 別 다를 별

막되고 가리는 것이 없이.

예 친구가 교실에서 **분별없이** 축구를 하여 깜짝 놀랐다.

확인 학습

1-3 **다음 낱말의 뜻풀이로 알맞은 것에 ○표를 하세요.**

1 보전
㉠ 살아 있는 목숨이나 맥을 이어 나가는 근본. ( )
㉡ 변화되지 않고 본바탕대로 잘 지키거나 유지함. ( )

2 생명
㉠ 잡초가 무성하게 많이 난 땅. ( )
㉡ 동물과 식물이 스스로 살아 있게 하는 힘. ( )

3 절약하다
㉠ 꼭 필요한 데에만 써서 아끼다. ( )
㉡ 길고 곧은 물체를 휘어 펴지지 않게 하거나 부러뜨리다. ( )

4-5 **다음 뜻풀이에 알맞은 낱말을 보기 에서 찾아 빈칸에 쓰세요.**

보기
명맥 보호 초원

4 풀이 나 있는 들판. □□

5 위험이나 곤란 등이 미치지 않도록 잘 지키고 보살핌. □□

6-7 **다음 낱말이 들어가기에 알맞은 문장을 찾아 선으로 이으세요.**

6 꺾어서 • • ㉠ 언니는 선물 받은 가방을 무척 ( ) 멘다.

7 아껴서 • • ㉡ 나는 꽃이 있는 나뭇가지를 ( ) 집에 가져와 꾸중을 들었다.

8-9 **다음 뜻풀이와 초성을 보고 빈칸에 알맞은 낱말을 쓰세요.**

8 잡초가 무성하게 많이 난 땅. (ㅍ ㅂ) → □□

9 마음대로 마구. 또는 생각 없이 아무렇게나. (ㅎ ㅂ ㄹ) → □□□

10-12 **다음 밑줄 친 낱말과 바꾸어 쓸 수 있는 낱말을 찾아 선으로 이으세요.**

10 넓은 풀밭에서 양이 풀을 뜯어 먹고 있다. • • ㉠ 보호

11 우리의 지구를 위해 환경 보전에 힘써야 한다. • • ㉡ 생명

12 어렵게 명맥을 이어가고 있는 전통 문화를 잘 지켜야 한다. • • ㉢ 초원

13 **다음을 보고 밑줄 친 관용어의 뜻풀이로 알맞은 것에 ○표를 하세요.**

유명한 소설가께서 건강이 나빠져 붓을 꺾는다고 하셨다. 그 소식을 듣고 어머니께서는 많이 서운해하셨다.

㉠ 글을 쓰기 시작하다. ( )

㉡ 글을 쓰는 활동을 그만두다. ( )

14 **다음 낱말을 모두 넣어 짧은 한 문장을 만들어 보세요.**

생명 아끼다

걸린 시간 분 맞은 개수 개

09회 생일을 맞이해요

국어

감동

感 느낄 감 | 動 움직일 동

크게 느껴 마음이 움직임.

예 나는 어제 영화를 보고 감동을 받았다.

비슷한말

감격

感 느낄 감 | 激 과격할 격

마음에 깊이 느껴 크게 감동함. 또는 그 감동.

예 감사 편지를 읽고 선생님께서 감격을 하셨다.

국어

선물

膳 반찬 선 | 物 만물 물

남에게 어떤 물건 등을 줌. 또는 그 물건.

예 생일에 선물을 받아 기분이 좋았다.

비슷한말

사례

謝 사례할 사 | 禮 예도 례

말이나 행동, 선물 등으로 상대에게 고마움을 나타냄.

예 강아지를 찾아 주어 사례를 받았다.

겨울

잔치

기쁜 일이 있을 때에 음식을 차려 놓고 여러 사람이 모여 즐기는 일.

예 할머니 생신 잔치에 온 가족이 모였다.

속담

소문난 잔치에 먹을 것 없다

소문*이나 큰 기대가 있지만 실제는 그렇지 않음.

예 소문난 잔치에 먹을 것 없다고, 맛있다고 소문난 빵집이었지만 별로 맛이 없었다.

*소문: 사람들 입에 오르내려 전하여 들리는 말.

생일은 **태어난** 날로, **해마다** 돌아온답니다. 생일이 되면 **잔치**를 하기도 하고 **축하**와 **선물**을 받아요. 그래서 **감동**도 받게 되지요.

 월  일

국어

축하

祝 빌 축 | 賀 하례할 하

남의 좋은 일에 기쁘고 즐거운 마음으로 인사함. 또는 그런 인사.

예 생일인 친구에게 **축하** 인사를 전하였다.

경축

慶 경사 경 | 祝 빌 축

경사스러운* 일을 축하함.

예 광복절에는 여러 곳에서 **경축** 행사를 한다.

*경사스럽다: 축하할 만한 일이 있어 기쁘고 즐겁다.

국어

태어나다

사람이나 동물이 형태*를 갖추어 세상에 나오다.

예 나는 봄에 **태어났다**.

*형태: 생김새나 모양.

출생하다

出 날 출 | 生 날 생

세상에 나오다.

예 나는 동생이 **출생하여** 무척 기뻤다.

국어

해마다

그해 그해.

예 우리 가족은 **해마다** 계곡으로 여름휴가를 간다.

매년

每 매양 매 | 年 해 년

한 해 한 해의 모든 해마다.

예 나는 **매년** 추석에 송편을 만든다.

확인 학습

1-3 **다음 초성을 보고 낱말의 뜻풀이에 들어갈 알맞은 낱말을 빈칸에 쓰세요.**

1 감동 : 크게 느껴 ☐☐(ㅁㅇ)이 움직임.

2 경축 : 경사스러운 일을 ☐☐(ㅊㅎ)함.

3 태어나다 : 사람이나 동물이 ☐☐(ㅎㅌ)를 갖추어 세상에 나오다.

4-5 **다음 뜻풀이에 알맞은 낱말을 찾아 ○표를 하세요.**

4 마음에 깊이 느껴 크게 감동함. 또는 그 감동. (감격 , 사례)

5 남의 좋은 일에 기쁘고 즐거운 마음으로 인사함. 또는 그런 인사. (잔치 , 축하)

6-7 **다음 빈칸에 들어갈 알맞은 낱말을 보기에서 찾아 쓰세요.**

보기

감동 경축 선물

6 친구가 생일이라서 ☐☐(으)로 책을 준비하였다.

7 동생이 그린 내 얼굴 그림을 보고 ☐☐을 받았다.

8-9 **다음 뜻풀이와 초성을 보고 빈칸에 알맞은 낱말을 쓰세요.**

8 한 해 한 해의 모든 해마다. (ㅁㄴ) → ☐☐

9 세상에 나오다. (ㅊㅅ) → ☐☐하다

10-12 다음 낱말의 비슷한말을 찾아 선으로 이으세요.

10 감격 • • ㉠ 감동

11 선물 • • ㉡ 경축

12 축하 • • ㉢ 사례

13 다음 중 속담 '소문난 잔치에 먹을 것 없다'의 상황으로 알맞지 않은 것의 기호를 쓰세요.

㉠ 친구가 재미있다고 하여 읽은 책이 재미없었다.
㉡ 사과가 먹고 싶어서 사러 갔는데 다 팔리고 없었다.
㉢ 요즘 인기 있는 과자를 먹어 보았는데 맛이 없었다.

14 다음 낱말을 모두 넣어 짧은 한 문장을 만들어 보세요.

매년　　태어나다

걸린 시간 분　맞은 개수 개

곡식을 길러요

국어

거두다

곡식이나 열매 등을 따서 담거나 한데 모으다.

예 농부가 곡식을 거둔다.

비슷한말

수확하다

收 거둘 수 | 穫 벼벨 확

익거나 다 자란 농수산물*을 거두어들이다.

예 주말농장에서 고추를 수확하였다.

*농수산물: 농업으로 생산한 곡식, 채소 등과 바다나 강 등에서 나는 것을 모두 이르는 말.

가을

곡식

穀 곡식 곡 | 食 먹을 식

사람이 먹는 쌀, 보리, 콩 등을 통틀어 이르는 말.

예 할머니께서 농사하신 곡식을 주셨다.

비슷한말

곡류

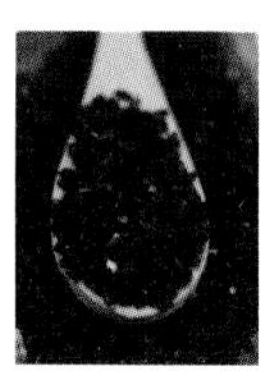

穀 곡식 곡 | 類 무리 류

쌀, 보리, 밀 등의 곡식을 통틀어 이르는 말.

예 곡류에는 검은색 쌀인 흑미도 있다.

국어

곳간

庫 곳집 고 | 間 사이 간

식량*이나 물건 등을 간직해 보관하는 곳.

예 곳간 안에 무엇이 있는지 궁금하였다.

*식량: 살아가기 위하여 필요한 사람의 먹을거리.

비슷한말

창고

倉 곳집 창 | 庫 곳집 고

물건을 저장하거나 보관하는 건물.

예 창고에 있는 물건을 정리하였다.

벼는 곡식이에요. 가을에 벼가 익으면 거두어 곳간에 보관해요.
풍년이 되면 곳간이 가득 차게 되지요.

공부한 날 ( )월 ( )일

국어

벼

한해살이풀*로, 열매를 찧으면 쌀이 됨.

예 가을이 되면 농부들은 벼를 벤다.

*한해살이풀: 일 년 동안에 모든 성장 과정을 거친 후 말라 죽는 식물.

속담

벼 이삭은 익을수록 고개를 숙인다

교양과 수양*을 쌓은 사람일수록 다른 사람에게 자신을 내세우지 않음.

예 벼 이삭은 익을수록 고개를 숙인다고, 선생님께서는 아직 부족하다며 매일 공부하신다.

*수양: 몸과 마음을 닦아 기름.

국어

익다

열매나 씨가 다 자라서 여물다.

예 가족과 함께 잘 익은 감을 땄다.

비슷한말

성숙하다

成 이룰 성 | 熟 익을 숙

생물이 충분히 자라다.

예 솜을 만드는 데 쓰는 목화는 열매가 성숙하면 터진다.

국어

풍년

豊 풍년 풍 | 年 해 년

농사가 잘되어 수확이 많은 해.

예 농부들은 매년 풍년이 되기를 간절히 기도한다.

반대말

흉년

凶 흉할 흉 | 年 해 년

농작물이 잘되지 아니한 해.

예 이번 해에 비가 적게 내려 흉년이 들까 봐 걱정이다.

확인 학습

1-3 **다음 낱말에 알맞은 뜻풀이를 찾아 선으로 이으세요.**

1 곡식 •　　• ㉠ 농사가 잘되어 수확이 많은 해.

2 벼 •　　• ㉡ 한해살이풀로, 열매를 찧으면 쌀이 됨.

3 풍년 •　　• ㉢ 사람이 먹는 쌀, 보리, 콩 등을 통틀어 이르는 말.

4-5 **다음 뜻풀이에 알맞은 낱말을 찾아 선으로 이으세요.**

4 열매나 씨가 다 자라서 여물다. •　　• ㉠ 거두다

5 곡식이나 열매 등을 따서 담거나 한데 모으다. •　　• ㉡ 익다

6-7 **다음 빈칸에 들어갈 알맞은 낱말을 보기에서 찾아 쓰세요.**

보기

곡류　　곳간　　풍년

6 □□이 들어 농부들은 활짝 웃었다.

7 할머니께서는 □□에서 고구마를 가져오셨다.

8-9 **다음 뜻풀이와 초성을 보고 빈칸에 알맞은 낱말을 쓰세요.**

8 익거나 다 자란 농수산물을 거두어들이다. (ㅅ ㅎ) → □□하다

9 물건을 저장하거나 보관하는 건물. (ㅊ ㄱ) → □□

10 **다음 중 짝 지어진 낱말의 관계가 나머지와 다른 것의 기호를 쓰세요.**

㉠ 곡식 – 곡류　　㉡ 곳간 – 창고　　㉢ 풍년 – 흉년

11-12 **다음 밑줄 친 낱말과 바꾸어 쓸 수 있는 낱말을 보기 에서 찾아 쓰세요.**

보기
성숙한　　수확한

11 직접 거둔 쌀을 먹으니 밥이 더 맛있었다. □□□

12 빨갛게 익은 사과를 따 먹으니 무척 달았다. □□□

13 **보기 의 뜻풀이를 보고 속담의 빈칸을 완성하세요.**

보기 교양과 수양을 쌓은 사람일수록 다른 사람에게 자신을 내세우지 않음.

→ 벼 이삭은 익을수록 □□를 숙인다

14 **다음 낱말을 모두 넣어 짧은 한 문장을 만들어 보세요.**

곡식　　수확하다

걸린 시간 　분　　맞은 개수 　개

시골은 정다워요

여름

개울

골짜기나 들에 흐르는 작은 물줄기.

예 할머니 댁 앞에는 작은 개울이 흐른다.

비슷한말

개천

川 내 천

시내보다는 크고 강보다는 작은 물줄기.

예 작은 개천이 모이면 큰 강이 된다.

국어

거리

사람이나 차가 많이 다니는 길.

예 동네 거리에서 이웃을 뵈어 인사를 드렸다.

동음이의어

거리

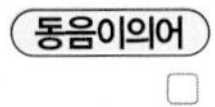

둘 사이가 공간적*으로 떨어진 길이.

예 집에서 학교까지는 십 분 거리이다.

*공간적: 모든 방향으로 퍼져 있는 범위에 속하는 것.

국어

돌다리

돌로 놓은 다리.

예 돌다리를 건너다 하마터면 물에 빠질 뻔하였다.

속담

돌다리도 두들겨 보고 건너라

잘 아는 일이라도 세심하게* 주의를 해야 함.

예 돌다리도 두들겨 보고 건너라고, 집을 나서기 전에 모두 챙겼는지 확인해야 한다.

*세심하다: 작은 일에도 꼼꼼하게 주의를 기울이다.

시골에 가면 **개울**과 **돌다리**가 있어요.
그리고 **거리**를 걷다 보면 **들꽃**도 만날 수 있지요. 참 **정다운 시골**이에요.

 월  일

국어

들꽃

들에 피는 꽃.

예 어머니께서는 하얀색 **들꽃**을 좋아하신다.

야생화

野 들 야 | 生 날 생 | 花 꽃 화

산이나 들에 저절로* 피는 꽃.

예 등산을 가서 **야생화**를 보았다.

*저절로: 다른 힘을 빌리지 아니하고 제 스스로. 또는 자연적으로.

봄

시골

도시에서 떨어져 있는 지역.

예 추석이 되어 할머니 댁이 있는 **시골**에 갔다.

도시

都 도읍 도 | 市 시장 시

많은 사람이 살며 지역의 정치, 경제, 문화의 중심이 되는 곳.

예 나는 **도시**에서 산다.

국어

정답다

情 뜻 정

따뜻한 정이 있다.

예 할아버지와 할머니께서는 나를 **정답게** 대해 주신다.

의좋다

誼 옳을 의

서로 정이 굳고 깊다.

예 나는 짝과 **의좋게** 지낸다.

확인 학습

1-2 **다음 낱말의 뜻풀이로 알맞은 것에 ○표를 하세요.**

1 개울
㉠ 돌로 놓은 다리. ( )
㉡ 골짜기나 들에 흐르는 작은 물줄기. ( )

2 시골
㉠ 도시에서 떨어져 있는 지역. ( )
㉡ 산이나 들에 저절로 피는 꽃. ( )

3-4 **다음 뜻풀이에 알맞은 낱말을 보기 에서 찾아 빈칸에 쓰세요.**

보기
개천　　거리　　도시

3 시내보다는 크고 강보다는 작은 물줄기. □□

4 많은 사람이 살며 지역의 정치, 경제, 문화의 중심이 되는 곳. □□

5-6 **다음 낱말이 들어가기에 알맞은 문장을 찾아 선으로 이으세요.**

5 개울 •　　• ㉠ ( )에 개구리가 붙어 있어서 놀랐다.

6 돌다리 •　　• ㉡ 시골에 있는 ( ) 안에는 물고기가 산다.

7-8 **다음 뜻풀이와 초성을 보고 빈칸에 알맞은 낱말을 쓰세요.**

7 들에 피는 꽃. (ㄷ ㄲ) → □□

8 서로 정이 굳고 깊다. (ㅇ ㅈ ㄷ) → □□□

9 **다음 중 짝 지어진 낱말의 관계가 반대말인 것의 기호를 쓰세요.**

㉠ 도시 – 시골　　㉡ 들꽃 – 야생화　　㉢ 의좋다 – 정답다

10-11 **보기**의 밑줄 친 낱말 중 다음 뜻풀이에 알맞은 것을 찾아 기호를 쓰세요.

보기
- 이 나무와 저 나무는 ㉠거리가 좀 있다.
- 집 앞 ㉡거리에 많은 사람들이 모여 있다.

10 사람이나 차가 많이 다니는 길. ( )

11 둘 사이가 공간적으로 떨어진 길이. ( )

12 **다음 중 속담 '돌다리도 두들겨 보고 건너라'의 상황으로 알맞은 것의 기호를 쓰세요.**

㉠ 배가 너무 고파서 밥 한 그릇을 금방 다 먹었다.
㉡ 심부름할 내용을 외웠지만 종이에 써서 가져가 빠짐없이 다 하였다.
㉢ 동생이 숙제를 도와달라고 하였지만 내 숙제가 많아 도와주지 못해 미안하였다.

13 **다음 낱말을 모두 넣어 짧은 한 문장을 만들어 보세요.**

도시 정답다

걸린 시간 분 맞은 개수 개

다른 사람을 도와요

국어

겸손

謙 겸손할 겸 | 遜 겸손할 손

남을 존중하고 자신을 낮추는 태도가 있음.

예 칭찬을 받고 인사를 드려 **겸손**의 마음을 표현하였다.

반대말

거만

倨 거만할 거 | 慢 게으를 만

잘난 체하며 남을 낮추어 보는 태도.

예 수업 시간에 **거만**한 태도로 앉아 있어 선생님께서 화가 나셨다.

봄

도와주다

남을 위하여 애써 주다.

예 오빠는 한글을 모르는 아이들에게 한글을 가르치며 **도와주는** 봉사 활동을 하였다.

반대말

방해하다

妨 방해할 방 | 害 해로울 해

남의 일을 간섭*하고 막아 제대로 되지 못하게 하다.

예 영화를 보는데 뒷사람이 **방해하였다**.

*간섭: 남의 일에 아는 체하며 이래라저래라 함.

가을

보람

어떤 일을 한 뒤에 돌아오는 좋은 결과나 만족한 느낌.

예 선생님께서는 우리를 가르치는 일에 **보람**을 느낀다고 하셨다.

비슷한말

만족감

滿 찰 만 | 足 발 족 | 感 느낄 감

모자람이 없이 마음이 넉넉한 느낌.

예 내가 그린 그림이 마음에 들어서 **만족감**을 느꼈다.

다른 사람을 **도와주거나 봉사**를 할 때에는 **선의**와 **겸손**을 가지고 **친절하게** 해야 해요. 그러면 우리는 **보람**을 느끼게 되지요.

  월  일 

국어

봉사

奉 받들 봉 | 仕 벼슬할 사

남을 위하여 자신을 돌보지 아니하고 애씀.

예 지난주에 벽화 그리기 **봉사**를 하였다.

한자 성어

십시일반

十 열 십 | 匙 숟가락 시 | 一 하나 일 | 飯 밥 반

여러 사람이 힘을 합하면 한 사람을 도와주기 쉬움.

예 어려운 이웃을 위한 성금이 **십시일반**으로 모였다.

국어

선의

善 착할 선 | 意 뜻 의

남에게 도움을 주고자 하거나 좋은 목적을 가진 착한 마음.

예 나는 **선의**로 자리를 양보하였다.

비슷한말

호의

好 좋을 호 | 意 뜻 의

친절한 마음씨나 좋게 생각하여 주는 마음.

예 나는 친구의 **호의**에 고마움을 느꼈다.

여름

친절하다

親 친할 친 | 切 끊을 절

매우 친근하고 다정하다.

예 생선 가게의 아저씨께서는 매우 **친절하시다**.

비슷한말

자상하다

仔 자세할 자 | 詳 자세할 상

세심하고 정이 깊다.

예 부모님께서는 **자상하시다**.

12회 확인 학습

1-3 다음 초성을 보고 낱말의 뜻풀이에 들어갈 알맞은 낱말을 빈칸에 쓰세요.

1 겸손 : 남을 □□(ㅈㅈ)하고 자신을 낮추는 태도가 있음.

2 만족감 : □□□(ㅁㅈㄹ)이 없이 마음이 넉넉한 느낌.

3 호의 : 친절한 □□□(ㅁㅇㅆ)나 좋게 생각하여 주는 마음.

4-5 다음 뜻풀이에 알맞은 낱말을 찾아 선으로 이으세요.

4 세심하고 정이 깊다. • • ㉠ 도와주다

5 남을 위하여 애써 주다. • • ㉡ 자상하다

6-7 다음 빈칸에 들어갈 알맞은 낱말을 보기 에서 찾아 쓰세요.

보기: 거만 겸손 보람

6 청소를 한 후 깨끗해진 방을 보고 □□을 느꼈다.

7 언니는 칭찬을 받고 잘난 체하며 □□하게 있었다.

8-9 다음 뜻풀이와 초성을 보고 빈칸에 알맞은 낱말을 쓰세요.

8 남을 위하여 자신을 돌보지 아니하고 애씀. (ㅂㅅ) → □□

9 매우 친근하고 다정하다. (ㅊㅈ) → □□하다

10 **다음 중 짝 지어진 낱말의 관계가 나머지와 다른 것의 기호를 쓰세요.**

㉠ 거만 – 겸손 ㉡ 방해하다 – 도와주다 ㉢ 자상하다 – 친절하다

11-12 **다음 밑줄 친 낱말과 바꾸어 쓸 수 있는 낱말을 찾아 선으로 이으세요.**

11 어려운 숙제를 하고 큰 만족감을 느꼈다. • · ㉠ 보람

12 나는 호의로 친구의 무거운 짐을 들어 주었다. • · ㉡ 선의

13 **다음을 보고 밑줄 친 한자 성어의 뜻풀이를 완성하세요.**

- 십시일반으로 연탄을 날라 어려운 이웃에게 힘이 되었다.
- 양로원에 봉사 활동을 가서 십시일반으로 도움을 드렸다.

→ 여러 사람이 ☐ 을 ☐ 하면 한 사람을 도와주기 쉬움.

14 **다음 낱말을 모두 넣어 짧은 한 문장을 만들어 보세요.**

봉사　　도와주다

걸린 시간 　분　　맞은 개수 　개

길을 알려 주어요

가리키다

특별히 짚어 보이거나 알리다.

예 축구 경기에서 친구가 가리키는 곳으로 공을 보냈다.

가르치다

어떤 사람이 다른 사람에게 지식이나 기술 등을 깨닫거나 익히게 하다.

예 어머니께서 어려운 맞춤법을 가르쳐 주셨다.

길

다른 곳으로 이동할 수 있도록 땅 위에 낸 일정한 너비*의 공간.

예 차가 다니는 길은 조심해야 한다.

*너비: 평면이나 넓은 물체의 가로를 잰 길이.

천 리 길도 한 걸음부터

무슨 일이나 그 일의 시작이 중요함.

예 천 리 길도 한 걸음부터라고, 수영을 잘하고 싶으면 기초부터 차례차례 배워야 한다.

말

사람의 목소리로 생각이나 느낌 등을 표현하고 전달하는 것.

예 내가 그린 그림에 대하여 말로 이야기하였다.

설명

說 말씀 설 | 明 밝을 명

어떤 일이나 내용 등을 상대편이 잘 알 수 있도록 밝혀 말함.

예 선생님께서는 설명을 이해하기 쉽게 해 주셨다.

가끔 **길**을 가다가 어떤 **장소**를 **묻는** 사람이 있어요.
그러면 우리는 그 **장소**가 있는 쪽을 **가리키며 말**로 **안내**를 해 주지요.

월 일

국어

묻다

무엇을 밝히거나 알고자 대답하도록 요구하여 말하다.

예 친구의 말이 들리지 않아 다시 **물었다**.

동음이의어

묻다

가루나 액체가 들러붙거나 흔적이 남게 되다.

예 장화에 흙이 **묻었다**.

국어

안내

案 책상 안 | 內 안 내

어떤 내용이나 장소 등을 소개하거나 지시하여 알려 줌.

예 도서관에서 책 빌리는 방법에 대하여 동생에게 **안내**하였다.

비슷한말

인도

引 끌 인 | 導 이끌 도

목적*하는 곳으로 안내하거나 이끌어 줌.

예 내가 **인도**하여 친구도 함께 태권도를 배운다.

*목적: 이루려고 하는 일이나 나아가는 방향.

여름

장소

場 마당 장 | 所 바 소

어떤 일이 이루어지거나 일어나는 곳.

예 궁은 내가 좋아하는 **장소**이다.

비슷한말

위치

位 자리 위 | 置 둘 치

일정한 곳에 자리를 차지함. 또는 그 자리나 장소.

예 우리의 소중한 땅 독도의 **위치**는 동쪽 끝이다.

13회 확인 학습

1-3 **다음 낱말에 알맞은 뜻풀이를 찾아 선으로 이으세요.**

1 길 •　　• ㉠ 어떤 일이 이루어지거나 일어나는 곳.

2 설명 •　　• ㉡ 어떤 일이나 내용 등을 상대편이 잘 알 수 있도록 밝혀 말함.

3 장소 •　　• ㉢ 다른 곳으로 이동할 수 있도록 땅 위에 낸 일정한 너비의 공간.

4-5 **다음 뜻풀이에 알맞은 낱말을 보기 에서 찾아 빈칸에 쓰세요.**

보기
가르치다　묻다　안내　위치

4 가루나 액체가 들러붙거나 흔적이 남게 되다. (　　　)

5 일정한 곳에 자리를 차지함. 또는 그 자리나 장소. (　　　)

6-7 **다음 빈칸에 들어갈 알맞은 낱말을 보기 에서 찾아 쓰세요.**

보기
가르쳐　가리켜

6 먹고 싶은 과일을 손으로 □□□ 골랐다.

7 동생이 이 닦는 방법을 물어보아서 □□□ 주었다.

8-9 **다음 뜻풀이와 초성을 보고 빈칸에 알맞은 낱말을 쓰세요.**

8 특별히 짚어 보이거나 알리다. (ㄱㄹㅋㄷ) → □□□□

9 어떤 내용이나 장소 등을 소개하거나 지시하여 알려 줌. (ㅇㄴ) → □□

10-12 **다음 밑줄 친 낱말과 바꾸어 쓸 수 있는 낱말을 보기 에서 찾아 쓰세요.**

보기
말　　인도　　장소

10 우체통이 있는 위치를 말해 주었다. (　　　)

11 친구는 내 설명을 이해하지 못하였다. (　　　)

12 내가 친구들을 미술관으로 안내하였다. (　　　)

13 **보기 의 뜻풀이를 보고 속담의 빈칸을 완성하세요.**

보기 무슨 일이나 그 일의 시작이 중요함.

→ 천 리 길도 한 □□부터

14 **다음 낱말을 모두 넣어 짧은 한 문장을 만들어 보세요.**

길　　묻다

걸린 시간 　　분　　맞은 개수 　　개

14회 칭찬을 받았어요

뛰어나다

남보다 훨씬 높거나 앞서 있다.

예 달리기 선수는 순발력*이 뛰어나다.

*순발력: 순간적으로 근육 등이 오그라들며 나타나는 힘.

우수하다

優 넉넉할 우 | 秀 빼어날 수

여럿 가운데 뛰어나다.

예 실력이 우수한 성악가가 음악회에서 노래를 불렀다.

마음

감정이나 생각, 의지 등을 느끼거나 일으키는 태도.

예 동화책을 읽으니 마음이 즐거웠다.

마음에 차다

마음에 넉넉하여 만족하게 여기다.

예 선물 받은 인형은 내 마음에 찬다.

인정

認 알 인 | 定 정할 정

확실히* 그렇다고 여김.

예 나는 짝이 쓴 한자를 보고 잘 쓴다고 인정하였다.

*확실히: 틀림없이 그러하게.

부인

否 아닐 부 | 認 알 인

어떤 사실을 그렇다고 여기지 않음.

예 나는 매일 이를 닦았다고 끝까지 부인을 하였다.

다른 사람들보다 **뛰어나거나** **특별해서** **인정**을 받으면 기분이 좋아요.
그리고 **진심**으로 **칭찬**을 받게 되면 기쁜 **마음**을 느낄 수 있지요.

 월  일

국어

진심

眞 참 진 | 心 마음 심

거짓이 없는 참된 마음.

예 친구가 상을 받아 **진심**으로 축하해 주었다.

본심

本 근본 본 | 心 마음 심

본래 지니고 있는 마음.

예 동생과 싸운 것은 내 **본심**이 아니라 실수*였다.

*실수: 조심하지 않아 잘못함.

국어

칭찬

稱 일컬을 칭 | 讚 기릴 찬

좋은 점이나 착하고 훌륭한 일을 높이 평가함. 또는 그런 말.

예 이를 잘 닦는다고 **칭찬**을 받았다.

질책

叱 꾸짖을 질 | 責 꾸짖을 책

잘못을 꾸짖어 주의를 주며 알아듣게 말함.

예 수업 태도가 좋지 않아 선생님께서 **질책**을 하셨다.

국어

특별하다

特 특별할 특 | 別 다를 별

일반적인 것과 아주 다르다.

예 우리 동네 공원에는 **특별한** 꽃들이 많이 핀다.

평범하다

平 평평할 평 | 凡 무릇 범

뛰어나거나 색다른 점이 없이 흔히 있을 만하다.

예 나는 **평범한** 모양의 티셔츠를 샀다.

확인 학습

1-3 다음 낱말의 뜻풀이로 알맞은 것에 ○표를 하세요.

1 인정
㉠ 여럿 가운데 뛰어남. ( )
㉡ 확실히 그렇다고 여김. ( )

2 진심
㉠ 거짓이 없는 참된 마음. ( )
㉡ 감정이나 생각, 의지 등을 느끼거나 일으키는 태도. ( )

3 질책
㉠ 본래 지니고 있는 마음. ( )
㉡ 잘못을 꾸짖어 주의를 주며 알아듣게 말함. ( )

4-5 다음 뜻풀이에 알맞은 낱말을 찾아 선으로 이으세요.

4 일반적인 것과 아주 다르다. • • ㉠ 뛰어나다

5 남보다 훨씬 높거나 앞서 있다. • • ㉡ 특별하다

6-7 다음 낱말이 들어가기에 알맞은 문장을 찾아 선으로 이으세요.

6 우수한 • • ㉠ 내 신발은 어디에나 있는 ( ) 구두이다.

7 평범한 • • ㉡ 언니는 ( ) 성적으로 시험에 합격하였다.

8-9 다음 뜻풀이와 초성을 보고 빈칸에 알맞은 낱말을 쓰세요.

8 어떤 사실을 그렇다고 여기지 않음. (ㅂ ㅇ) → □□

9 뛰어나거나 색다른 점이 없이 흔히 있을 만하다. (ㅍ ㅂ) → □□하다

10 다음 중 짝 지어진 낱말의 관계가 나머지와 다른 것의 기호를 쓰세요.

㉠ 뛰어나다 – 우수하다　㉡ 본심 – 진심　㉢ 평범하다 – 특별하다

11-12 다음 낱말의 반대말을 찾아 선으로 이으세요.

11 부인 • • ㉠ 인정

12 칭찬 • • ㉡ 질책

13 보기 를 보고 밑줄 친 관용어의 뜻풀이로 알맞은 것에 ○표를 하세요.

보기 미술 시간에 그린 그림은 내 마음에 차서 아주 뿌듯하였다.

㉠ 많이 괴로워하다. ( )
㉡ 가졌던 마음이 아주 달라지다. ( )
㉢ 마음에 넉넉하여 만족하게 여기다. ( )

14 다음 낱말을 모두 넣어 짧은 한 문장을 만들어 보세요.

마음 특별하다

걸린 시간 분 맞은 개수 개

15회 좋은 마음을 나타내요

고맙다

남의 도움 등에 마음이 즐겁고 감동적이다.

예 동생이 꽃을 선물로 주어서 고마웠다.

감사하다

感 느낄 감 | 謝 사례할 사

고맙게 여기거나 고마운 마음이 있다.

예 스승의 날에 담임 선생님께 감사하다고 말씀드렸다.

자랑스럽다

남에게 드러내어 뽐낼* 만한 데가 있다.

예 나는 식물을 사랑하는 내 동생이 자랑스럽다.

*뽐내다: 어떠한 능력을 보라는 듯이 자랑하다.

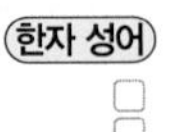

금의환향

錦 비단 금 | 衣 옷 의 | 還 돌아올 환 | 鄕 고향 향

크게 성공*하여 고향에 돌아옴.

예 올림픽에서 메달을 딴 선수들이 금의환향을 하였다.

*성공: 목적하는 바를 이룸.

편안하다

便 편할 편 | 安 편안할 안

편하고 걱정 없이 좋다.

예 손님께 편안한 방석을 드렸다.

혼란하다

昏 어두울 혼 | 亂 어지러울 란

마음이나 정신 등이 어둡고 어지럽다.

예 교실이 시끄러워 정신이 혼란하였다.

고맙다고 말할 때 **행복**을 느껴요. 마음이 **편안하고, 평화롭게** 돼요.
또 어떤 사람을 **자랑스럽게** 생각하면 마음이 **흐뭇해져요.**

  월 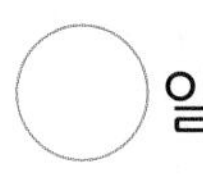 일

국어

평화롭다

平 평평할 평 | 和 화목할 화

평온하고 화목*하다.

예 눈이 내리는 모습을 보니 **평화로웠다.**

*화목: 서로 뜻이 맞고 정다움.

무사하다

無 없을 무 | 事 일 사

아무런 일이 없거나 아무 탈* 없이 편안하다.

예 거칠게 비가 내렸지만 포도는 **무사하였다.**

*탈: 뜻밖에 일어난 걱정할 만한 일.

여름

행복

幸 다행 행 | 福 복 복

생활에서 충분한 기쁨과 만족감을 느껴 흐뭇함. 또는 그러한 상태.

예 우리 가족이 지금처럼 계속 **행복**으로 가득했으면 좋겠다.

불행

不 아닐 불 | 幸 다행 행

행복하지 아니함.

예 갑자기 **불행**을 겪은 친구를 위로해 주었다.

국어

흐뭇하다

모자람이 없이 넉넉하여 매우 만족스럽다.

예 고양이가 내가 준 밥을 잘 먹어서 **흐뭇하였다.**

흡족하다

洽 화할 흡 | 足 발 족

조금도 모자람이 없이 넉넉하여 만족하다.

예 이를 깨끗이 닦으니 이가 하얘져서 **흡족하였다.**

확인 학습

1-3 **다음 초성을 보고 낱말의 뜻풀이에 들어갈 알맞은 낱말을 빈칸에 쓰세요.**

1 편안하다 : 편하고 ☐☐(ㄱㅈ) 없이 좋다.

2 평화롭다 : 평온하고 ☐☐(ㅎㅁ)하다.

3 행복 : 생활에서 충분한 ☐☐(ㄱㅃ)과 만족감을 느껴 흐뭇함. 또는 그러한 상태.

4-5 **다음 뜻풀이에 알맞은 낱말을 찾아 선으로 이으세요.**

4 남에게 드러내어 뽐낼 만한 데가 있다. • • ㉠ 고맙다

5 남의 도움 등에 마음이 즐겁고 감동적이다. • • ㉡ 자랑스럽다

6-7 **다음 빈칸에 들어갈 알맞은 낱말을 보기에서 찾아 쓰세요.**

보기

무사해 혼란해 흐뭇해

6 잃어버렸던 강아지가 ☐☐☐ 다행이었다.

7 아버지께 거짓말을 하여 마음이 ☐☐☐ 힘들었다.

8-9 **다음 뜻풀이와 초성을 보고 빈칸에 알맞은 낱말을 쓰세요.**

8 고맙게 여기거나 고마운 마음이 있다. (ㄱㅅ) → ☐☐하다

9 조금도 모자람이 없이 넉넉하여 만족하다. (ㅎㅈ) → ☐☐하다

10 **다음 중 짝 지어진 낱말의 관계가 비슷한말인 것의 기호를 쓰세요.**

㉠ 불행 – 행복 ㉡ 편안하다 – 혼란하다 ㉢ 평화롭다 – 무사하다

11-12 **다음 밑줄 친 낱말과 바꾸어 쓸 수 있는 낱말을 보기 에서 찾아 쓰세요.**

보기

감사하여 흡족하여

11 지갑을 찾아준 사람에게 고마워 편지를 썼다.

12 어머니께서는 내가 동생을 잘 돌보아 흐뭇하여 웃으셨다.

13 **다음 중 한자 성어 '금의환향'과 어울리는 것의 기호를 쓰세요.**

㉠ 어려운 공부를 알려 주어 동생이 고맙다고 하였다.
㉡ 운동회 때 내가 가장 달리기를 잘하여 상을 받았다.
㉢ 월드컵에서 16강에 진출한 우리나라 선수들이 축하를 받으며 돌아왔다.

14 **다음 낱말을 모두 넣어 짧은 한 문장을 만들어 보세요.**

행복 감사하다

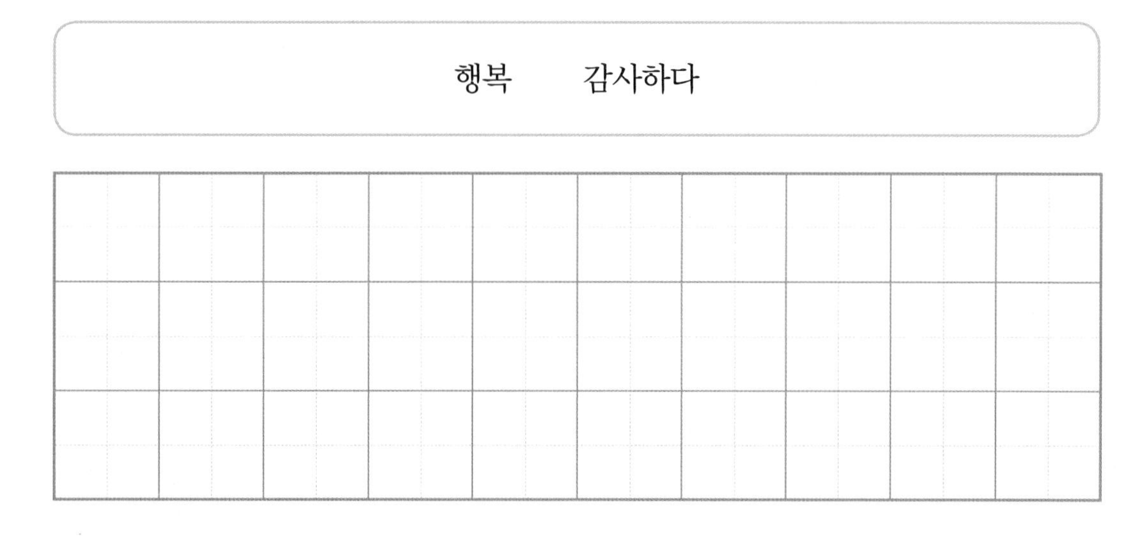

걸린 시간 분 맞은 개수 개

16회 여행을 떠나요

여름

등산

登 오를 등 | 山 뫼 산

운동이나 놀이, 탐험* 등의 목적으로 산에 오름.

예 봄은 **등산**을 하기에 좋은 계절이다.

*탐험: 위험을 참고 견뎌 어떤 곳을 찾아가서 살펴보고 조사함.

하산

下 아래 하 | 山 뫼 산

산에서 내려오거나 내려감.

예 해가 지기 전에 **하산**을 하였다.

여름

바닷가

바닷물과 땅이 서로 닿은 곳이나 그 근처.

예 강아지와 함께 **바닷가**를 걸었다.

비슷한말

해안

海 바다 해 | 岸 언덕 안

바다와 땅이 마주 닿은 부분.

예 배가 **해안**에 서 있다.

국어

여행

旅 나그네 여 | 行 다닐 행

일이나 구경을 목적으로 다른 곳에 가는 일.

예 나는 자전거로 **여행**을 하고 싶다.

비슷한말

유람

遊 놀 유 | 覽 볼 람

돌아다니며 구경함.

예 섬으로 **유람**을 떠나기 위해서는 배를 타야 한다.

여행을 가려면 미리 **예매**를 하고 필요한 것들을 **준비**해요.
그리고 산에 가면 **등산**을 하고, **바닷가**에 가면 **헤엄**을 치지요.

 월  일

가을

예매

豫 미리 예 | 買 살 매

정하여진 때가 되기 전에 미리 삼.

예 고향에 가기 위해 컴퓨터로 기차표 **예매**를 서둘렀다.

예약

豫 미리 예 | 約 맺을 약

미리 약속함. 또는 미리 정한 약속.

예 이모는 결혼식장 **예약**을 하셨다.

국어

준비

準 법도 준 | 備 갖출 비

미리 마련하여 갖춤.

예 아침에 일어나 부지런히 학교 갈 **준비**를 하였다.

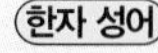

유비무환

有 있을 유 | 備 갖출 비 | 無 없을 무 | 患 근심 환

미리 준비가 되어 있으면 걱정할 것이 없음.

예 삼촌은 **유비무환**의 자세로, 여름을 위해 열심히 운동하신다.

여름

헤엄

사람이나 물고기 등이 물속에서 나아가기 위하여 움직이는 일.

예 개천에서 물고기가 **헤엄**을 친다.

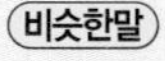

유영

游 헤엄칠 유 | 泳 헤엄칠 영

물속에서 헤엄치며 놂.

예 바다에서 **유영**을 하였다.

1-2 **다음 낱말에 알맞은 뜻풀이를 찾아 선으로 이으세요.**

1 등산 • • ㉠ 미리 마련하여 갖춤.

2 준비 • • ㉡ 운동이나 놀이, 탐험 등의 목적으로 산에 오름.

3-4 **다음 뜻풀이에 알맞은 낱말을 보기 에서 찾아 빈칸에 쓰세요.**

보기

예매 유람 유영

3 물속에서 헤엄치며 놂. □□

4 정하여진 때가 되기 전에 미리 삼. □□

5-6 **다음 빈칸에 들어갈 알맞은 낱말을 보기 에서 찾아 쓰세요.**

보기

등산 하산 헤엄

5 산꼭대기까지 갔다가 □□을 하였다.

6 □□이 건강에 좋아서 할아버지께서는 주말마다 산에 가신다.

7-8 **다음 뜻풀이와 초성을 보고 빈칸에 알맞은 낱말을 쓰세요.**

7 미리 약속함. 또는 미리 정한 약속. (ㅇ ㅇ) → □□

8 바다와 땅이 마주 닿은 부분. (ㅎ ㅇ) → □□

9 **다음 중 짝 지어진 낱말의 관계가 나머지와 다른 것의 기호를 쓰세요.**

㉠ 바닷가 – 해안 ㉡ 유영 – 헤엄 ㉢ 하산 – 등산

10-11 **다음 밑줄 친 낱말과 바꾸어 쓸 수 있는 낱말을 찾아 선으로 이으세요.**

10 박물관에 가기 위해 예매를 하였다. • • ㉠ 여행

11 외국에서 온 친구를 위해 서울 유람을 시켜 주었다. • • ㉡ 예약

12 **다음을 보고 밑줄 친 한자 성어의 뜻풀이를 완성하세요.**

- 유비무환을 생각하며 매일 복습을 하였다.
- 할아버지께서는 유비무환의 정신으로 열심히 저금을 하셨다.

→ 미리 준비가 되어 있으면 [ ][ ] 할 것이 없음.

13 **다음 낱말을 모두 넣어 짧은 한 문장을 만들어 보세요.**

여행　준비

걸린 시간 분　맞은 개수 개

17회 더위를 피해요

국어

그늘

어두운 부분.

예 날씨가 너무 더워서 큰 양산의 그늘에서 쉬었다.

비슷한말

음지

陰 응달 음 | 地 땅 지

햇빛이 잘 비치지 않는 어두운 곳.

예 해가 비치니 나무 아래 음지가 생겼다.

여름

더위

여름철의 더운 기운.

예 며칠 동안 더위가 계속되었다.

비슷한말

혹서

酷 혹독할 혹 | 暑 더울 서

몹시 심한 더위.

예 이번 혹서는 에어컨으로 견뎠다.

국어

뙤약볕

여름에 강하게 내리쬐는 몹시 뜨거운 볕.

예 뙤약볕에서 농사일을 하니 머리가 어지러웠다.

비슷한말

폭양

曝 쬘 폭 | 陽 볕 양

뜨겁게 내리쬐는 볕을 쬠. 또는 그 볕.

예 따가운 폭양 때문에 선글라스를 꼈다.

여름에는 뙤약볕이 내리쬐어 더위를 느껴요.
우리는 그늘에서 더위를 식히기도 하고 휴가를 가지요.

 월 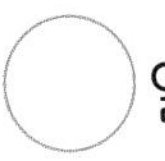 일

국어

식히다

더운 기가 없어지게 하다.

예 음식이 너무 뜨거워서 입으로 식혀 먹었다.

머리를 식히다

흥분*되거나 긴장된 마음을 가라앉히다.

예 삼촌께서는 머리를 식히시려고 걸어서 퇴근하셨다.

*흥분: 어떤 자극을 받아 감정이 북받쳐 일어남.

여름

여름

일 년 중 가장 무더운 계절로 봄과 가을 사이.

예 여름에 원두막에서 수박을 먹었다.

하계

夏 여름 하 | 季 계절 계

여름의 시기.

예 방학 때 하계 스포츠를 즐겼다.

국어

휴가

休 쉴 휴 | 暇 겨를 가

학업 또는 근무*를 일정한 기간 동안 쉬는 일이나 그 기간.

예 이번 휴가는 바다로 갔다.

*근무: 직장에서 맡은 일에 마음과 힘을 다함.

여가

餘 남을 여 | 暇 겨를 가

일이 없어 남는 시간.

예 여가 시간을 활용하여 줄넘기를 열심히 하였다.

확인 학습

1-3 **다음 낱말의 뜻풀이로 알맞은 것에 ○표를 하세요.**

1 음지
㉠ 햇빛이 잘 비치지 않는 어두운 곳. (　　)
㉡ 일 년 중 가장 무더운 계절로 봄과 가을 사이. (　　)

2 폭양
㉠ 어두운 부분. (　　)
㉡ 뜨겁게 내리쬐는 볕을 쬠. 또는 그 볕. (　　)

3 하계
㉠ 여름의 시기. (　　)
㉡ 일이 없어 남는 시간. (　　)

4-5 **다음 뜻풀이에 알맞은 낱말을 찾아 선으로 이으세요.**

4 몹시 심한 더위. • 　　• ㉠ 혹서

5 학업 또는 근무를 일정한 기간 동안 쉬는 일이나 그 기간. • 　　• ㉡ 휴가

6-7 **다음 낱말이 들어가기에 알맞은 문장을 찾아 선으로 이으세요.**

6 음지 • 　　• ㉠ 우리나라는 이번 (　　　) 올림픽에서 1위를 하였다.

7 하계 • 　　• ㉡ 체육 시간이 끝나고 (　　　)로 달려가 더위를 피하였다.

8-9 **다음 뜻풀이와 초성을 보고 빈칸에 알맞은 낱말을 쓰세요.**

8 여름철의 더운 기운. (ㄷ ㅇ) → □□

9 여름에 강하게 내리쬐는 몹시 뜨거운 볕. (ㄸ ㅇ ㅂ) → □□□

10-12 다음 낱말의 비슷한말을 찾아 선으로 이으세요.

10	그늘 •	• ㉠ 더위
11	혹서 •	• ㉡ 여가
12	휴가 •	• ㉢ 음지

13 다음을 보고 밑줄 친 관용어의 뜻풀이로 알맞은 것에 ○표를 하세요.

- 어머니께 꾸중을 듣고 머리를 식히려고 산책을 하였다.
- 동생의 심한 장난에 화가 나서 창문을 열고 머리를 식혔다.

㉠ 마음이나 기분이 상쾌하다. (　　　)
㉡ 있는 힘을 다하여 노력하다. (　　　)
㉢ 흥분되거나 긴장된 마음을 가라앉히다. (　　　)

14 다음 낱말을 모두 넣어 짧은 한 문장을 만들어 보세요.

더위　　식히다

걸린 시간 　　분　　맞은 개수 　　개

18회 아프면 병원에 가요

봄

다치다

부딪치거나 넘어져 상처를 입다.

예 종이를 자르다가 손을 다쳤다.

비슷한말

상하다

傷 상처 상

몸을 다쳐 상처를 입다.

예 넘어져서 다리가 상하였다.

봄

불편

不 아닐 불 | 便 편할 편

몸이나 마음이 편하지 않고 괴로움.

예 발에 붕대를 하여 걸을 때 불편을 느꼈다.

반대말

편리

便 편할 편 | 利 이로울 리

편하고 이로우며* 이용하기 쉬움.

예 에스컬레이터는 사람들의 편리를 위해 설치된 기계이다.

*이롭다: 보탬이 되는 것이 있다.

국어

살피다

두루두루 주의하여 자세히 보다.

예 아이들에게 책을 읽어 주며 표정을 살폈다.

관용어

눈치를 살피다

남의 눈치*를 가만히 보거나 살피다.

예 지각을 하여 선생님의 눈치를 살폈다.

*눈치: 남의 마음을 상황으로 미루어 알아내는 것.

우리는 **다치거나 아프면 열**이 나고 몸에 **불편**을 느껴요.
병원에 가면 의사 선생님께서 몸을 잘 **살펴서 치료**해 주시지요.

봄

아프다

몸에 이상*이 생겨 몹시 괴로운 느낌이 있다.

예 이가 **아파서** 병원에 갔다.

*이상: 정상적인 것과 다름.

비슷한말

고통스럽다

苦 괴로울 고 | 痛 아플 통

몸이나 마음이 괴롭고 아프다.

예 기침이 계속 나와서 **고통스러웠다.**

여름

열

熱 더울 열

병으로 인하여 몸에 오르는 더운 기운.

예 갑자기 얼굴이 뜨거워 **열**이 나는 것 같았다.

비슷한말

발열

發 필 발 | 熱 더울 열

열이 나거나 열을 냄.

예 다리미는 **발열**을 하여 옷의 구김을 펴 준다.

국어

치료

治 다스릴 치 | 療 병 고칠 료

병이나 상처 등을 잘 다스려 낫게 함.

예 제비는 흥부에게 **치료**를 받았다.

비슷한말

진료

診 볼 진 | 療 병 고칠 료

의사가 환자를 진찰하고 치료하는 일.

예 의사 선생님께서 강아지의 **진료**를 해 주셨다.

확인 학습

1-3 **다음 초성을 보고 낱말의 뜻풀이에 들어갈 알맞은 낱말을 빈칸에 쓰세요.**

1 살피다 : 두루두루 주의하여 □□□(ㅈㅅㅎ) 보다.

2 상하다 : 몸을 다쳐 □□(ㅅㅊ)를 입다.

3 진료 : 의사가 환자를 □□(ㅈㅊ)하고 치료하는 일.

4-5 **다음 뜻풀이에 알맞은 낱말을 보기에서 찾아 빈칸에 쓰세요.**

보기

발열　　불편　　치료

4 몸이나 마음이 편하지 않고 괴로움. □□

5 병이나 상처 등을 잘 다스려 낫게 함. □□

6-7 **다음 낱말이 들어가기에 알맞은 문장을 찾아 선으로 이으세요.**

6 고통스러웠다 •　　• ㉠ 친구가 넘어진 나를 (　　　　).

7 살폈다 •　　• ㉡ 공놀이를 하다 공에 맞아 (　　　　).

8-9 **다음 뜻풀이와 초성을 보고 빈칸에 알맞은 낱말을 쓰세요.**

8 병으로 인하여 몸에 오르는 더운 기운. (ㅇ) → □

9 편하고 이로우며 이용하기 쉬움. (ㅍㄹ) → □□

10 **다음 중 짝 지어진 낱말의 관계가 나머지와 다른 것의 기호를 쓰세요.**

㉠ 열 – 발열　　㉡ 진료 – 치료　　㉢ 편리 – 불편

▼ 정답 32쪽

11-12 다음 밑줄 친 낱말과 바꾸어 쓸 수 있는 낱말을 보기 에서 찾아 쓰세요.

보기

다쳐서 살펴서 아파서

11 발목을 삐끗하여 상해서 병원에 갔다.

12 수영을 하다가 코에 물이 들어가 고통스러워서 힘들었다.

13 다음을 보고 밑줄 친 관용어의 뜻풀이를 완성하세요.

- 동생과 내가 싸워서 화가 나신 아버지의 눈치를 살폈다.
- 쥐들은 고양이가 언제 사라질지 눈치를 살피며 숨어 있었다.

→ 남의 눈치를 □□□ 보거나 살피다.

14 다음 낱말을 모두 넣어 짧은 한 문장을 만들어 보세요.

치료 아프다

걸린 시간 분 맞은 개수 개

19회 도서관에 가요

국어

고르다

여럿 중에서 가려내거나 뽑다.

예 음식점에서 가장 먹고 싶은 음식을 골랐다.

고르다

여럿이 다 높낮이, 크기, 양 등의 차이가 없다.

예 모두가 고르게 먹을 수 있게 피자를 잘랐다.

국어

반납

返 돌아올 반 | 納 들일 납

빌리거나 받은 것을 다시 돌려줌.

예 자전거를 탄 후 반납을 하였다.

반환

返 돌아올 반 | 還 돌아올 환

빌리거나 가졌던 것을 다시 돌려줌.

예 자판기에서 음료수를 사고 반환 버튼을 눌러 남은 돈을 꺼냈다.

국어

빌리다

남의 돈이나 물건 등을 갚거나 돌려주기로 하고 얼마 동안 쓰다.

예 나는 책을 빌리려고 도서관에 갔다.

빌다

바라는 바를 이루게 하여 달라고 간절히* 부탁하다.

예 생일 케이크의 불을 끄기 전에 가족의 건강과 행복을 빌었다.

* **간절히:** 매우 정성스럽고 지극한 마음으로.

우리는 **조용한** 도서관을 **이용**하여 읽을 책을 **찾**거나 **골라요.**
도서관에서 **빌린** 책은 꼭 **반납**해야 하지요.

월

일

국어

이용

利 이로울 이 | 用 쓸 용

무엇을 필요에 따라 이롭게 씀.

예 집이 10층이라서 엘리베이터 **이용**을 자주한다.

악용

惡 악할 악 | 用 쓸 용

알맞지 않게 쓰거나 나쁜 일에 씀.

예 남의 정보를 마음대로 **악용**하면 처벌 받는다.

국어

조용하다

아무런 소리도 들리지 않고 고요하다.

예 도서관이 **조용해서** 까치발로 걸었다.

잠잠하다

潛 자맥질할 잠 | 潛 자맥질할 잠

시끄럽지 않고 아무 소리도 없이 조용하다.

예 새벽이라 **잠잠한데** 잠이 오지 않았다.

여름

찾다

무엇을 발견*하기 위해 살피다.

예 잃어버린 양말을 세탁기에서 **찾았다.**

*발견: 미처 찾아내지 못했던 사물이나 알려지지 않은 사실을 찾아냄.

쥐구멍을 찾다

부끄럽거나 이럴 수도 저럴 수도 없어 어디에라도 숨고 싶어 하다.

예 나무꾼은 도끼를 잃어버려 **쥐구멍을 찾았다.**

1-2 **다음 낱말에 알맞은 뜻풀이를 찾아 선으로 이으세요.**

1 잠잠하다 • • ㉠ 무엇을 발견하기 위해 살피다.

2 찾다 • • ㉡ 시끄럽지 않고 아무 소리도 없이 조용하다.

3-4 **다음 뜻풀이에 알맞은 낱말을 보기 에서 찾아 빈칸에 쓰세요.**

보기
반납 악용 이용

3 무엇을 필요에 따라 이롭게 씀. ☐☐

4 빌리거나 받은 것을 다시 돌려줌. ☐☐

5-6 **다음 빈칸에 들어갈 알맞은 낱말을 보기 에서 찾아 쓰세요.**

보기
골랐다 빌렸다 빌었다

5 아픈 동생을 낫게 해 달라고 하늘에 ☐☐☐.

6 준비물을 가져오지 않아 친구에게 물감을 ☐☐☐.

7-8 **다음 뜻풀이와 초성을 보고 빈칸에 알맞은 낱말을 쓰세요.**

7 빌리거나 가졌던 것을 다시 돌려줌. (ㅂ ㅎ) → ☐☐

8 아무런 소리도 들리지 않고 고요하다. (ㅈ ㅇ) → ☐☐하다

9 **다음 중 짝 지어진 낱말의 관계가 나머지와 다른 것의 기호를 쓰세요.**

㉠ 반납 – 반환 ㉡ 악용 – 이용 ㉢ 잠잠하다 – 조용하다

10-11 **보기**의 밑줄 친 낱말 중 다음 뜻풀이에 알맞은 것을 찾아 기호를 쓰세요.

> **보기**
> - 예쁜 공책을 ㉠골라 동생에게 선물로 주었다.
> - 아버지께서는 볶음밥을 여러 그릇에 ㉡고르게 담으셨다.

10 여럿 중에서 가려내거나 뽑다. (   )

11 여럿이 다 높낮이, 크기, 양 등의 차이가 없다. (   )

12 **다음 중 관용어 '쥐구멍을 찾다'의 상황으로 알맞은 것의 기호를 쓰세요.**

> ㉠ 숨바꼭질을 할 때 들키지 않을 곳을 찾고 싶었다.
> ㉡ 칠판 앞에서 발표를 할 때 친구들이 쳐다봐서 부끄러웠다.
> ㉢ 길을 가다가 쥐가 구멍으로 들어가는 것을 보고 깜짝 놀랐다.

13 **다음 낱말을 모두 넣어 짧은 한 문장을 만들어 보세요.**

> 반납　　빌리다

걸린 시간 　　 분 　　 맞은 개수 　　 개

20회 은행에 가요

기다리다

어떤 사람이나 때가 오기를 바라다.

예 강아지가 내 말을 듣고 **기다렸다.**

고대하다

苦 괴로울 고 | 待 기다릴 대

무엇을 몹시 기다리다.

예 우리는 산타 할아버지를 만날 날을 **고대한다.**

여름

다짐

마음이나 뜻을 굳게 가다듬어 정함.

예 아버지께서는 담배를 피우지 않겠다고 **다짐**을 하셨다.

각오

覺 깨달을 각 | 悟 깨달을 오

앞으로 해야 할 일이나 겪을 일에 대한 마음의 준비.

예 독립운동가들은 죽을 **각오**로 일제와 싸웠다.

국어

돈

금속이나 종이로 만든 것으로 사물의 가치*를 나타내는 물건.

예 돼지 저금통에 **돈**을 모았다.

*가치: 사물이 지니고 있는 값이나 쓸모.

화폐

貨 재화 화 | 幣 비단 폐

상품의 교환 가치를 나타내는 것으로 일반화*된 방법.

예 우리나라 **화폐**에는 위인이 그려져 있다.

*일반화: 일부분이 아닌 전체에 두루 걸치는 것이 됨.

우리는 돈을 세고 저축을 하기 위해 은행에서 차례를 기다려요.
열심히 저축을 하겠다고 다짐하면 저축하는 버릇이 생길 거예요.

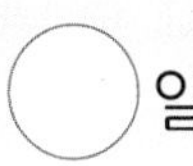
공부한 날 ◯월 ◯일

버릇

속담

세 살 적 버릇이 여든까지 간다

여러 번 되풀이하여 저절로 익고 굳어진 행동이나 성질.

예 나는 주말에 늦게까지 잠을 자는 버릇이 있다.

어릴 때부터 나쁜 버릇이 들지 않도록 잘 가르쳐야 함.

예 세 살 적 버릇이 여든까지 간다고 매일 독서를 해야겠다고 생각하였다.

봄

세다

세다

낱낱*의 수를 하나씩 헤아리다.

예 필통 안에 연필이 몇 개 있는지 세어 보았다.

*낱낱: 여럿 가운데의 하나하나.

힘이 많다.

예 동생은 나보다 팔 힘이 세서 팔씨름을 이긴다.

국어

저축

소비

貯 쌓을 저 | 蓄 쌓을 축

아껴서 모아 둠.

예 세뱃돈을 받아서 저축을 하였다.

消 꺼질 소 | 費 쓸 비

돈이나 시간 등을 들이거나 써서 없앰.

예 길을 찾느라 시간을 소비하였다.

확인 학습

1-2 **다음 낱말의 뜻풀이로 알맞은 것에 ○표를 하세요.**

1 고대하다
- ㉠ 힘이 많다. (　　)
- ㉡ 무엇을 몹시 기다리다. (　　)

2 저축
- ㉠ 아껴서 모아 둠. (　　)
- ㉡ 금속이나 종이로 만든 것으로 사물의 가치를 나타내는 물건. (　　)

3-4 **다음 뜻풀이에 알맞은 낱말을 찾아 선으로 이으세요.**

3 돈이나 시간 등을 들이거나 써서 없앰. • 　　• ㉠ 각오

4 앞으로 해야 할 일이나 겪을 일에 대한 마음의 준비. • 　　• ㉡ 소비

5-6 **다음 낱말이 들어가기에 알맞은 문장을 찾아 선으로 이으세요.**

5 다짐 • 　　• ㉠ 문방구에서 지우개를 사고 (　　　)을 드렸다.

6 돈 • 　　• ㉡ 나는 숙제를 미루지 않겠다고 (　　　)을 하였다.

7-8 **다음 뜻풀이와 초성을 보고 빈칸에 알맞은 낱말을 쓰세요.**

7 어떤 사람이나 때가 오기를 바라다. (ㄱㄷㄹㄷ) → □□□□

8 여러 번 되풀이하여 저절로 익고 굳어진 행동이나 성질. (ㅂㄹ) → □□

9 **다음 중 짝 지어진 낱말의 관계가 나머지와 다른 것의 기호를 쓰세요.**

㉠ 각오 – 다짐　　㉡ 소비 – 저축　　㉢ 화폐 – 돈

10-11 **보기**의 뜻풀이를 보고 밑줄 친 낱말의 뜻으로 알맞은 것의 기호를 쓰세요.

보기
㉠ 힘이 세다.
㉡ 낱낱의 수를 하나씩 헤아리다.

10 크레파스가 몇 개인지 세어 보았다. (   )

11 친구가 음료수 뚜껑을 못 열어서 힘이 센 내가 열어 주었다. (   )

12 **보기**의 뜻풀이를 보고 속담의 빈칸을 완성하세요.

보기 어릴 때부터 나쁜 버릇이 들지 않도록 잘 가르쳐야 함.

→ 세 살 적 버릇이 [ ][ ]까지 간다

13 **다음 낱말을 모두 넣어 짧은 한 문장을 만들어 보세요.**

다짐   저축

걸린 시간 분 맞은 개수 개

21회 차례를 지켜요

국어

복잡하다

複 겹옷 복 | 雜 섞일 잡

일이나 감정 등이 뒤죽박죽 얽혀 있다.

예 형은 버스를 여러 번 갈아타야 해서 등굣길이 복잡하였다.

머리가 복잡하다

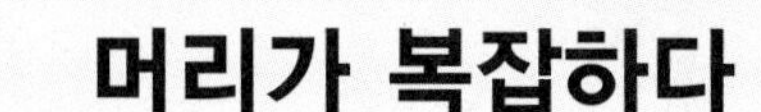

고민*이 많다.

예 친구와 심하게 싸워서 머리가 복잡하였다.

*고민: 마음속으로 괴로워하며 속을 태움.

국어

본보기

本 근본 본

그대로 따라 할 만한 대상.

예 선생님께서 칠판에 본보기로 한자를 써 주셨다.

모범

模 법 모 | 範 법 범

본받아 배울 만한 대상.

예 책 읽는 것을 동생에게 모범을 보여야 한다고 생각하였다.

국어

빠르다

움직임이나 일이 이루어지는 데 걸리는 시간이 짧다.

예 우리 편이 달리기가 더 빠르다.

신속하다

迅 빠를 신 | 速 빠를 속

매우 날쌔고 빠르다.

예 구급차는 환자를 신속하게 병원으로 데리고 간다.

만약 **질서**가 없다면 **복잡해서** 일을 **빠르게** 할 수 없을 거예요.
그렇다면 자신이 먼저 **여럿**의 **본보기**가 되어 **차례**를 지켜요.

월 일

국어

여럿

많은 수의 사람이나 물건.

예 여럿이 말뚝박기를 하였다.

다수

多 많을 다 | 數 셀 수

낱낱의 수가 많음.

예 다수의 사람들이 나들이를 나왔다.

가을

질서

秩 차례 질 | 序 차례 서

혼란 없이 순조롭게* 이루어지게 하는 사물의 순서나 차례.

예 버스를 탈 때는 질서를 지켜야 한다.

*순조롭다: 아무 탈 없이 잘되어 간다.

혼잡

混 섞을 혼 | 雜 섞일 잡

여럿이 한데 뒤섞여 어수선함*.

예 아버지께서는 출근길의 혼잡을 피하고 싶어 하신다.

*어수선하다: 얽히고 뒤섞여 마구 헝클어져 있다.

여름

차례

次 버금 차 | 例 법식 례

여럿을 앞뒤로 벌여 나가는 관계. 또는 각각에게 돌아오는 기회.

예 차례를 지켜 미끄럼틀을 탔다.

순서

順 순할 순 | 序 차례 서

무슨 일을 행하거나 무슨 일이 이루어지는 차례.

예 먼저 도착한 순서로 줄을 서서 음식을 받았다.

21회

확인 학습

1-3 다음 초성을 보고 낱말의 뜻풀이에 들어갈 알맞은 낱말을 빈칸에 쓰세요.

1 모범 : ☐☐☐(ㅂㅂㅇ) 배울 만한 대상.

2 빠르다 : 움직임이나 일이 이루어지는 데 걸리는 ☐☐(ㅅㄱ)이 짧다.

3 여럿 : 많은 수의 사람이나 ☐☐(ㅁㄱ).

4-5 다음 뜻풀이에 알맞은 낱말을 보기에서 찾아 빈칸에 쓰세요.

보기: 다수　본보기　혼잡

4 그대로 따라 할 만한 대상. (　　　)

5 여럿이 한데 뒤섞여 어수선함. (　　　)

6-7 다음 낱말이 들어가기에 알맞은 문장을 찾아 선으로 이으세요.

6 복잡하고 •　　• ㉠ 휴게소에는 사람이 많아서 (　　　) 줄이 길었다.

7 신속하고 •　　• ㉡ 택배 아저씨께서는 (　　　) 정확하게 물건을 갖다 주신다.

8-9 다음 뜻풀이와 초성을 보고 빈칸에 알맞은 낱말을 쓰세요.

8 일이나 감정 등이 뒤죽박죽 얽혀 있다. (ㅂㅈ) → ☐☐하다

9 무슨 일을 행하거나 무슨 일이 이루어지는 차례. (ㅅㅅ) → ☐☐

10-12 다음 낱말의 비슷한말을 찾아 선으로 이으세요.

10 다수 •　　　　• ㉠ 본보기

11 모범 •　　　　• ㉡ 순서

12 차례 •　　　　• ㉢ 여럿

13 보기 를 보고 밑줄 친 관용어의 뜻풀이로 알맞은 것에 ○표를 하세요.

보기 개학 전날인데 방학 숙제를 다 하지 못하여 머리가 복잡하였다.

㉠ 고민이 많다. (　　　)
㉡ 존경하는 마음이 일어나다. (　　　)
㉢ 뒤떨어진 생각에서 벗어나다. (　　　)

14 다음 낱말을 모두 넣어 짧은 한 문장을 만들어 보세요.

본보기　　차례

걸린 시간 　　분　　맞은 개수 　　개

가게에 갔어요

배달

配 짝 배 | 達 통달할 달

우편물이나 신문, 음식 등을 날라다 줌.

예 어머니께 꽃 **배달**이 왔다.

운반

運 운전할 운 | 搬 옮길 반

물건 등을 옮겨 나름.

예 농부 아저씨께서는 손수레에 감자를 가득 넣어 **운반**을 하셨다.

사다

값을 치르고 자기 것으로 만들다.

예 가게에 있는 자판기로 먹고 싶은 음식을 **샀다**.

인심을 사다

남에게 좋은 평*을 얻다.

예 이모께서는 회사에서 열심히 일을 하셔서 사람들의 **인심을 사셨다**.

***평:** 옳고 아니거나 좋고 나쁨, 잘하고 못함 등을 평가함. 또는 그런 말.

싱싱하다

야채, 과일 등이 시들거나 상하지 않고 생기*가 있다.

예 방금 뽑은 **싱싱한** 무로 김장을 하였다.

***생기:** 활발하고 힘찬 기운.

신선하다

新 새로울 신 | 鮮 고울 선

과일이나 생선 등이 싱싱하다.

예 방금 짠 **신선한** 오렌지 주스를 마셨다.

싱싱한 **채소**를 **사기** 위해 채소를 **파는** 곳으로 가요.
필요한 **채소**가 없으면 **주문**을 하고 가게에서는 **배달**도 해 주시지요.

공부한 날 ( )월 ( )일

가을

주문

注 물댈 주 | 文 글월 문

상품을 만들거나 파는 사람에게 상품의 생산, 수송* 등을 요구함.

예 서점에 책이 없어 **주문**을 하였다.

*수송: 기차, 항공기, 배 등의 수단으로 사람이나 짐 등을 실어 옮김.

요청

要 중요할 요 | 請 청할 청

필요한 어떤 일이나 행동을 부탁함.

예 기자가 농부 아저씨께 인터뷰 **요청**을 하였다.

여름

채소

菜 나물 채 | 蔬 푸성귀 소

밭에서 기르는 무, 배추 등의 농작물.

예 텃밭에 여러 가지 **채소**를 심었다.

육류

肉 고기 육 | 類 무리 류

먹을 수 있는 짐승*의 고기 종류.

예 **육류**를 먹을 때는 채소도 함께 먹는 것이 좋다.

*짐승: 몸에 털이 나고 네 발을 가진 동물.

국어

팔다

물건 등을 값을 받고 넘기다.

예 편의점에서는 여러 가지 음식을 **판다**.

판매하다

販 팔 판 | 賣 팔 매

상품 등을 팔다.

예 문방구에서는 **판매하는** 연필을 샀다.

확인 학습

1-3 **다음 낱말에 알맞은 뜻풀이를 찾아 선으로 이으세요.**

1 사다 •　　　• ㉠ 물건 등을 값을 받고 넘기다.

2 싱싱하다 •　　　• ㉡ 값을 치르고 자기 것으로 만들다.

3 팔다 •　　　• ㉢ 야채, 과일 등이 시들거나 상하지 않고 생기가 있다.

4-5 **다음 뜻풀이에 알맞은 낱말을 찾아 선으로 이으세요.**

4 필요한 어떤 일이나 행동을 부탁함. •　　　• ㉠ 배달

5 우편물이나 신문, 음식 등을 날라다 줌. •　　　• ㉡ 요청

6-7 **다음 빈칸에 들어갈 알맞은 낱말을 보기에서 찾아 쓰세요.**

보기

신선한　　판매한

6 [ ][ ][ ] 재료로 만든 음식은 더 맛있다.

7 어제 [ ][ ][ ] 귤을 또 사려고 했지만 다 팔리고 없었다.

8-9 **다음 뜻풀이와 초성을 보고 빈칸에 알맞은 낱말을 쓰세요.**

8 물건 등을 옮겨 나름.　(ㅇ ㅂ) → [ ][ ]

9 밭에서 기르는 무, 배추 등의 농작물.　(ㅊ ㅅ) → [ ][ ]

10 **다음 중 짝 지어진 낱말의 관계가 나머지와 다른 것의 기호를 쓰세요.**

㉠ 신선하다 – 싱싱하다　　㉡ 육류 – 채소　　㉢ 판매하다 – 팔다

11-12 **다음 밑줄 친 낱말과 바꾸어 쓸 수 있는 낱말을 찾아 선으로 이으세요.**

11 택배 회사는 물건의 배달을 한다. • • ㉠ 요청

12 신발 가게에 더욱 큰 크기의 신발을 주문 하였다. • • ㉡ 운반

13 **다음 중 관용어 '인심을 사다'의 상황으로 알맞은 것의 기호를 쓰세요.**

㉠ 친구들과 이야기하는 것이 재미있다.
㉡ 친구와 싸웠지만 먼저 사과할 때까지 기다렸다.
㉢ 어려운 친구를 돕는 일이 학교에 알려져 착한 어린이 상을 받았다.

14 **다음 낱말을 모두 넣어 짧은 한 문장을 만들어 보세요.**

주문 싱싱하다

걸린 시간 ( ) 분 맞은 개수 ( ) 개

공연을 봐요

대본

臺 돈대 대 | 本 근본 본

연극, 영화 등을 만들 때 기본이 되는 글.

예 아나운서는 뉴스 대본을 보며 뉴스를 진행한다.

각본

脚 다리 각 | 本 근본 본

연극이나 영화를 만들기 위해 대사나 무대 장치 등을 구체적* 으로 적은 글.

예 우리는 각본에 맞게 연극을 하였다.

*구체적: 사물이나 현상이 일정한 모습을 갖추고 있는 것.

몸짓

몸을 움직이는 모양.

예 동생의 귀여운 몸짓을 보고 가족이 모두 웃었다.

행동

行 다닐 행 | 動 움직일 동

몸을 움직여 어떤 움직임을 행하거나 일을 함.

예 음악을 크게 듣는 것은 도서관에서 하지 말아야 할 행동이다.

무대

舞 춤출 무 | 臺 돈대 대

연극, 음악 등 공연을 위하여 관람석* 앞에 높직하게 만든 단.

예 가수가 무대에서 노래를 하였다.

*관람석: 연극, 영화 등을 구경할 수 있도록 마련한 자리.

객석

客 손님 객 | 席 자리 석

극장, 경기장 등에서 손님이 앉는 자리.

예 경기 시작 전부터 객석에는 많은 사람들이 있었다.

연극은 배우가 대본 속의 역할을 무대에서 몸짓과 말로 보여 주는 예술이에요. 관객은 연극이 끝나면 손뼉을 쳐서 배우들을 응원하지요.

국어

손뼉

손바닥과 손가락을 합친 전체 바닥.

예 해금 공연을 보고 손뼉을 쳤다.

속담

두 손뼉이 맞아야 소리가 난다

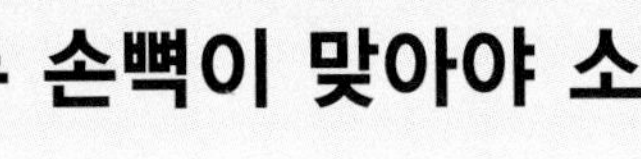

두 편에서 서로 뜻이 맞아야 이루어질 수 있음.

예 두 손뼉이 맞아야 소리가 난다고, 이어달리기에서 모두 열심히 뛰어 우승하였다.

봄

역할

役 부릴 역 | 割 나눌 할

영화나 연극 등에서 배우가 극에 등장하는 인물을 맡는 일.

예 사회자가 영화에서 배우가 맡은 역할을 소개하였다.

비슷한말

임무

任 맡길 임 | 務 힘쓸 무

맡은 일. 또는 맡겨진 일.

예 오늘 나의 임무는 어머니를 도와 설거지를 하는 것이다.

국어

연극

演 멀리 흐를 연 | 劇 연극 극

배우가 연극을 위해 쓴 글에 따라 관객에게 보이는 무대 예술.

예 연극에서 나는 백설 공주였다.

비슷한말

연희

演 멀리 흐를 연 | 戱 놀 희

말과 동작으로 여러 사람 앞에서 재주를 부림.

예 극장에서 연희를 보았다.

확인 학습

1-3 **다음 낱말의 뜻풀이로 알맞은 것에 ○표를 하세요.**

1 객석
㉠ 극장, 경기장 등에서 손님이 앉는 자리. (   )
㉡ 연극이나 영화를 만들기 위해 대사나 무대 장치 등을 구체적으로 적은 글. (   )

2 대본
㉠ 몸을 움직이는 모양. (   )
㉡ 연극, 영화 등을 만들 때 기본이 되는 글. (   )

3 연극
㉠ 맡은 일. 또는 맡겨진 일. (   )
㉡ 배우가 연극을 위해 쓴 글에 따라 관객에게 보이는 무대 예술. (   )

4-5 **다음 뜻풀이에 알맞은 낱말을 찾아 선으로 이으세요.**

4 몸을 움직여 어떤 움직임을 행하거나 일을 함. •   • ㉠ 무대

5 연극, 음악 등 공연을 위하여 관람석 앞에 높직하게 만든 단. •   • ㉡ 행동

6-7 **다음 낱말이 들어가기에 알맞은 문장을 찾아 선으로 이으세요.**

6 몸짓 •   • ㉠ 그 배우는 영화에서 의사 (   )을 맡았다.

7 역할 •   • ㉡ 친구가 유명 개그맨의 (   )을 흉내 내었다.

8-9 **다음 뜻풀이와 초성을 보고 빈칸에 알맞은 낱말을 쓰세요.**

8 손바닥과 손가락을 합친 전체 바닥. (ㅅ ㅃ) → □□

9 말과 동작으로 여러 사람 앞에서 재주를 부림. (ㅇ ㅎ) → □□

10 **다음 중 짝 지어진 낱말의 관계가 반대말인 것의 기호를 쓰세요.**

㉠ 객석 – 무대   ㉡ 역할 – 임무   ㉢ 연극 – 연희

▼ 정답 33쪽

11-12 다음 밑줄 친 낱말과 바꾸어 쓸 수 있는 낱말을 보기 에서 찾아 쓰세요.

보기
각본 객석 행동

11 연극을 하기 위해 대본을 외웠다.

12 더 먹으라는 언니의 말에, 배가 부르다는 몸짓을 보였다.

13 보기 의 뜻풀이를 보고 속담의 빈칸을 완성하세요.

보기 두 손뼉이 맞아야 소리가 난다

→ 두 편에서 서로 ☐ 이 맞아야 이루어질 수 있음.

14 다음 낱말을 모두 넣어 짧은 한 문장을 만들어 보세요.

객석 연극

걸린 시간 분 맞은 개수 개

미술로 표현해요

만들다

재료나 소재 등에 노력이나 기술을 들여 이루어 내다.

예 비행기를 **만들어** 하늘을 나는 상상을 하였다.

제조하다

製 지을 제 | 造 지을 조

원료에 인공*을 가하여 제품을 만들다.

예 공장은 많은 양의 물건을 **제조한다.**

*인공: 사람의 손길이나 힘으로 바꾸어 놓는 일.

여름

색칠

色 빛 색 | 漆 옻 칠

빛깔이 나게 칠을 함. 또는 그 칠.

예 아버지와 함께 만든 배를 **색칠**하였다.

채색

彩 채색 채 | 色 빛 색

여러 가지의 고운 빛깔. 또는 그림 등에 색을 칠함.

예 내가 그린 그림에 **채색**을 하니 더 멋있었다.

여름

자르다

무엇을 잘라지거나 끊어지게 하다.

예 색종이를 가위로 **잘랐다.**

말머리를 자르다

상대방이 말하는 도중에 말을 중지시키다.

예 **말머리를 자르는** 행동은 상대의 기분을 상하게 한다.

미술 시간에는 내 손으로 **작품**을 **만들**어요.
재료를 **자르고** **화려한** 색으로 **색칠**도 하지요.

공부한 날 ( )월 ( )일

여름 □□

작품

作 지을 작 | 品 물건 품

예술 창작 활동으로 얻어지는 결과물.

예 미술관에서 **작품**들을 감상하였다.

창작물

□□

創 창작할 창 | 作 지을 작 | 物 만물 물

독창적*으로 만든 예술 작품.

예 찰흙으로 **창작물**을 만들었다.

*독창적: 없던 것을 처음으로 만들어 내거나 생각해 내는 것.

국어 □□

재료

材 재목 재 | 料 되질할 료

물건을 만드는 데 들어가는 것.

예 삼촌께서는 나무를 **재료**로 의자를 만드셨다.

소재

□□

素 흴 소 | 材 재목 재

어떤 것을 만드는 데 바탕이 되는 것.

예 어머니께서 털실을 **소재**로 목도리를 만들어 주셨다.

국어 □□

화려하다

華 빛날 화 | 麗 고울 려

환하게 빛나며 곱고 아름답다.

예 우리나라 전통 결혼식에서는 **화려한** 한복을 입는다.

간단하다

□□

簡 대쪽 간 | 單 홑 단

단순하고 간략하다.

예 계산기는 계산을 **간단하게** 할 수 있게 도와준다.

확인 학습

1-3 **다음 초성을 보고 낱말의 뜻풀이에 들어갈 알맞은 낱말을 빈칸에 쓰세요.**

1 작품 : 예술 창작 활동으로 얻어지는 ☐☐☐(ㄱㄱㅁ).

2 제조하다 : 원료에 ☐☐(ㅇㄱ)을 가하여 제품을 만들다.

3 채색 : 여러 가지의 고운 빛깔. 또는 그림 등에 ☐(ㅅ)을 칠함.

4-5 **다음 뜻풀이에 알맞은 낱말을 보기 에서 찾아 빈칸에 쓰세요.**

보기
색칠 소재 창작물

4 독창적으로 만든 예술 작품. (　　　)

5 어떤 것을 만드는 데 바탕이 되는 것. (　　　)

6-7 **다음 낱말이 들어가기에 알맞은 문장을 찾아 선으로 이으세요.**

6 만든 •　　　• ㉠ 나는 (　　　) 색깔의 옷을 좋아한다.

7 화려한 •　　　• ㉡ 동생이 미술 시간에 찰흙으로 (　　　) 연필 꽂이를 보여 주였다.

8-9 **다음 뜻풀이와 초성을 보고 빈칸에 알맞은 낱말을 쓰세요.**

8 단순하고 간략하다. (ㄱㄷ) → ☐☐하다

9 물건을 만드는 데 들어가는 것. (ㅈㄹ) → ☐☐

10-12 다음 낱말의 비슷한말을 찾아 선으로 이으세요.

10 재료 • • ㉠ 색칠

11 창작물 • • ㉡ 소재

12 채색 • • ㉢ 작품

13 다음 대화를 보고 밑줄 친 관용어의 뜻풀이로 알맞은 것의 기호를 쓰세요.

어머니: 정우야, 무슨 일 있니? 얼굴 표정이 어두워 보이네.
정우: 친구들하고 대화하며 오는데, 희진이가 제 말머리를 잘랐어요.
어머니: 그랬구나. 아마 희진이는 모르고 실수한 걸 거야. 너무 마음 상해 하지 말고, 다음에 그런 일이 있으면 잘 알려 주면 돼.

㉠ 상대방이 말하는 도중에 말을 중지시키다.
㉡ 매우 심하여 말로는 차마 나타내어 설명할 수 없다.

14 다음 낱말을 모두 넣어 짧은 한 문장을 만들어 보세요.

작품 화려하다

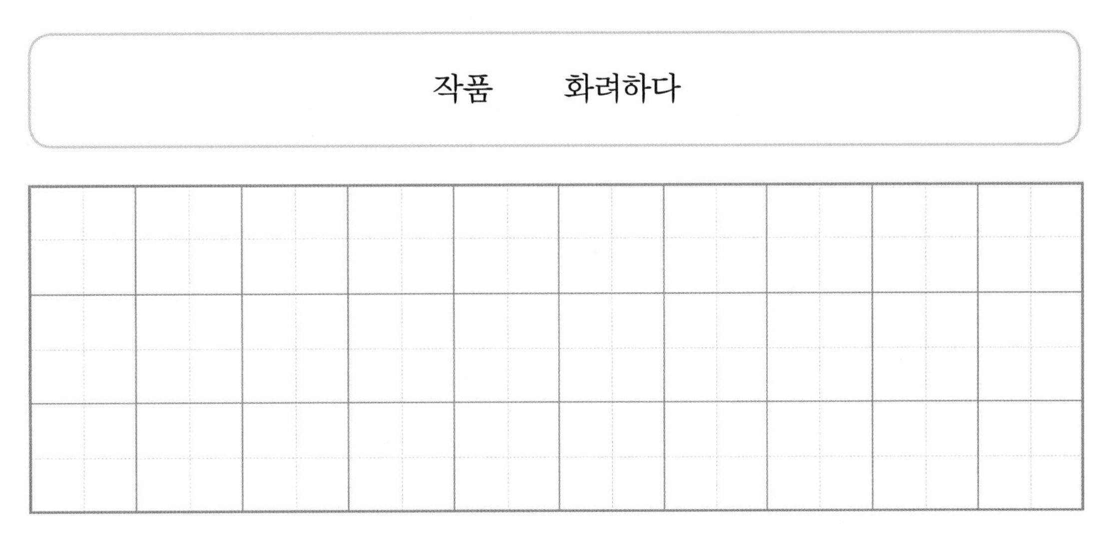

걸린 시간 분 맞은 개수 개

MEMO

어휘력 향상에 꼭 필요한 354개 필수 낱말 총정리

[어휘력 테스트 & 정답과 해설]

어휘력
테스트

01회 어휘력 테스트

1-3 다음 밑줄 친 낱말의 뜻풀이를 보기에서 찾아 기호를 쓰세요.

보기
㉠ 학문이나 기술을 배우고 익힘.
㉡ 학생을 가르치는 사람을 높여 이르는 말.
㉢ 사람이나 동물이 일정한 환경에서 활동하며 살아감.

1 주은이는 커서 국어 선생님이 되고 싶다.

2 건강을 위해서는 좋은 생활 습관을 가져야 한다.

3 공부를 열심히 하니 학교 성적이 생각보다 많이 올랐다.

4-6 다음 초성과 뜻풀이를 보고 빈칸에 들어갈 알맞은 낱말을 쓰세요.

4 ㅇ ㅅ : 가르침을 받은 은혜로운 스승.
→ 하준이는 힘들 때마다 (　　　)의 가르침을 떠올렸다.

5 ㅇ ㅎ : 학생이 되어 공부하기 위해 학교에 들어감.
→ 수정이는 할머니께 (　　　) 선물로 책가방을 받았다.

6 ㅊ ㄱ : 가깝게 오래 사귄 사람.
→ 준이는 학교에서 새 (　　　)를 만났다.

7-8 다음 빈칸에 공통으로 들어갈 알맞은 낱말을 보기에서 찾아 쓰세요.

보기 생계　은사　졸업　학업

7
• (　　　)을 열심히 한다.
• (　　　) 성적이 뛰어나다.

8
• (　　　)를 유지하였다.
• (　　　)를 이으려 일한다.

9-10 다음 문장의 밑줄 친 낱말과 바꾸어 쓸 수 있는 낱말에 ○표를 하세요.

9 요리를 배우고 싶어 학원에 갔다.
(연습하고, 학습하고)

10 아버지께서 은사를 뵈려고 고향에 가셨다.
(선배님, 선생님)

11-12 다음 밑줄 친 부분과 의미가 통하는 낱말이나 한자 성어를 찾아 선으로 이으세요.

11 나는 친구가 많은 편이다. •　　• ㉠ 졸업

12 수지는 정해진 교육 과정을 마치고 대학교에 입학하였다. •　　• ㉡ 죽마고우

걸린 시간 　　분 맞은 개수 　　개

1-3 다음 초성과 뜻풀이를 보고 알맞은 낱말을 쓰세요.

1 ㄴ ㄴ ㄷ : 하나를 둘 이상으로 가르다. (   )

2 ㅁ ㄱ : 일정한 생김새를 갖춘 모든 물질적 대상. (   )

3 ㅁ ㄱ ㅈ : 학용품과 사무용품 등을 파는 곳. (   )

4-5 다음 낱말의 뜻풀이에 알맞은 말을 찾아 ○표를 하세요.

4 분실하다: 자기도 (모르는, 아는) 사이에 물건 등을 잃어버리다.

5 챙기다: (빠짐이, 얻음이) 없도록 살피거나 갖추다.

6-7 다음 뜻풀이를 가진 낱말을 보기에서 찾아 문장의 빈칸에 알맞게 쓰세요.

보기: 나누어 물품 불필요 빠뜨려

6 필요하지 않음.
→ (   )한 낭비를 줄이려고 노력하다.

7 부주의로 물건을 흘리어 잃어버리다.
→ 뛰어가다 지갑을 (   ) 잃어버렸다.

8-10 다음 낱말과 뜻풀이를 보고 뜻이 비슷한 낱말을 보기에서 찾아 쓰세요.

보기: 나누다 문구점 물건 챙기다

8 단속하다: 주의를 기울여 다잡거나 보살피다. (   )

9 문방구: 학용품과 사무용품 등을 통틀어 이르는 말 또는 파는 곳. (   )

10 물품: 일정하게 쓸 만한 값어치가 있는 물건. (   )

11-12 다음 빈칸에 들어갈 알맞은 낱말을 찾아 ○표를 하세요.

11 가족이 손을 (   ) 대청소를 하였다.
(끊어, 나누어, 버려)

12 동생은 청소에 (   )하다며 걸레를 찾았다.
(필수, 필승, 필요)

걸린 시간 분 맞은 개수 개

1-3 다음 뜻풀이를 가진 낱말을 보기에서 찾아 문장의 빈칸에 알맞게 쓰세요.

보기: 구분 규칙 기호 인도

1 여러 사람이 다 같이 지키기로 한 법칙.
→ 학교에서는 (   )을 지켜야 한다.

2 일정한 기준에 따라 전체를 몇 개로 갈라 나눔.
→ 옷을 계절별로 (   )하였다.

3 어떠한 뜻을 나타내기 위하여 쓰이는 부호, 문자, 표지 등을 통틀어 이르는 말.
→ 지호는 회장 선거에서 (   ) 1번 후보가 되었다.

4-6 다음 낱말의 뜻풀이에 알맞은 말을 보기에서 찾아 쓰세요.

보기: 기호 움직임 자동차 차도 표지

4 멈추다: 사물의 (   )이나 동작이 그치다.

5 차도: 사람이 다니는 길 등과 구분하여 (   )만 다니게 한 길.

6 횡단보도: 사람이 가로로 건너다닐 수 있도록 (   )를 갖추어 차도 위에 마련한 길.

7-9 다음 문장의 밑줄 친 낱말과 바꾸어 쓸 수 있는 낱말에 ○표를 하세요.

7 나는 말을 하다가 <u>멈추었다</u>.
(웃었다, 중지하였다)

8 좋은 사과를 <u>구분</u>해 상자에 담았다.
(구조, 선별)

9 차가 오는지 살피고 <u>건널목</u>을 건넜다.
(지름길, 횡단보도)

10-11 다음 낱말의 뜻풀이로 알맞은 것을 찾아 기호를 쓰세요.

10 인도
㉠ 가려서 따로 나눔.
㉡ 걸어서 다니는 사람들이 지나다니는 데 사용하도록 된 도로.

11 중지하다
㉠ 하던 일을 중도에 그만두다.
㉡ 빠짐이 없도록 살피거나 갖추다.

12 보기의 뜻풀이에 알맞은 속담의 기호를 쓰세요.

보기: 아무리 급해도 순서를 밟아서 일해야 함.

㉠ 바늘 도둑이 소도둑 된다
㉡ 급하면 바늘허리에 실 매어 쓸까

걸린 시간 (   ) 분 맞은 개수 (   ) 개

04회 어휘력 테스트

정답과 해설 34쪽

1-3 **다음 밑줄 친 낱말과 관용어의 뜻풀이를 보기 에서 찾아 기호를 쓰세요.**

보기
㉠ 서로 맺은 관계.
㉡ 멀리 떨어져 있는 사람의 사정을 알리는 말이나 글.
㉢ 처음 만나는 사람끼리 이름을 통하여 자기를 소개하다.

1 이사를 간 친구의 소식을 들었다.

2 정은이와 은섭이는 소꿉친구 사이이다.

3 집에 놀러 온 옆집 아이에게 인사를 붙였다.

4-6 **다음 초성과 뜻풀이를 보고 빈칸에 들어갈 알맞은 낱말을 쓰세요.**

4 ㄱ ㄱ : 둘 또는 여러 대상이 서로 연결되어 얽혀 있음.
→ 학교에서는 친구 (　　　)가 중요하다.

5 ㅇ ㅂ : 잘 지내고 있는지에 대한 소식이나 인사로 그것을 전하거나 묻는 일.
→ 시골에 계신 할머니께 전화로 (　　　)를 여쭈었다.

6 ㅇ ㅅ : 만나거나 헤어질 때에 예를 갖추는 말이나 행동.
→ 선생님께서는 (　　　)를 잘하는 예의 바른 어린이가 되라고 말씀하셨다.

7-8 **다음 빈칸에 공통으로 들어갈 알맞은 낱말을 보기 에서 찾아 쓰세요.**

보기
껴안다　소식　추천　친하다

7
- 내가 동생을 (　　　).
- 내가 강아지를 (　　　).

8
- 친구에게 책을 (　　　)하였다.
- 외국 사람에게 음식을 (　　　)해 주었다.

9-10 **다음 밑줄 친 낱말과 바꾸어 쓸 수 있는 낱말을 보기 에서 찾아 쓰세요.**

보기
막역한　소개한
안내하며　포옹하며

9 동생을 껴안으며 생일을 축하해 주었다.

10 아빠께서는 옆집 아저씨와 친한 사이이시다.

11-12 **다음 밑줄 친 부분과 의미가 통하는 낱말을 찾아 선으로 이으세요.**

11 여행을 간 사촌에게 안부를 물었다. •　　　　• ㉠ 소개

12 전학 온 친구에게 분식집을 추천하였다. •　　　　• ㉡ 소식

1-3 다음 초성과 뜻풀이를 보고 알맞은 낱말을 쓰세요.

1 ㅂ : 사계절의 하나. 겨울과 여름 사이로 3월~5월이다. (　　　)

2 ㅂ ㅎ ㄷ : 무엇이 다른 것이 되거나 다른 성질로 달라지다. (　　　)

3 ㅌ ㅅ : 일 년 동안 거의 한 지역에서만 살면서 수가 늘어나는 새. (　　　)

4-5 다음 낱말의 뜻풀이에 알맞은 말을 찾아 ○표를 하세요.

4 녹다: 얼음이나 얼음같이 매우 차가운 것이 열을 받아 (기체, 액체)가 되다.

5 따뜻하다: (덥지, 춥지) 않을 정도로 온도가 알맞게 높다.

6-7 다음 뜻풀이를 가진 낱말이나 관용어를 보기 에서 찾아 문장의 빈칸에 알맞게 쓰세요.

보기

봄	봄을 타는지
옷차림	봄풀 자라듯이

6 옷을 갖추어 입거나 차려입은 모양.
→ 결혼식장에서 단정한 (　　　　)이 좋다.

7 봄철에 입맛이 없어지거나 몸이 나른해지고 파리해지다.
→ 날씨가 풀려 (　　　　) 많이 졸렸다.

8-10 다음 낱말과 뜻풀이를 보고 뜻이 비슷한 낱말을 보기 에서 찾아 쓰세요.

보기 녹다　변하다　옷차림　철새

8 달라지다: 변하여 전과 다르게 되다. (　　　)

9 복장: 옷을 차려입은 모양. (　　　)

10 해빙하다: 얼음이 녹아 풀리다. (　　　)

11-12 다음 빈칸에 들어갈 알맞은 낱말을 찾아 ○표를 하세요.

11 (　　　)에는 개나리, 진달래와 같은 꽃이 핀다.
(봄, 여름, 가을)

12 기러기는 겨울을 우리나라에서 보내는 겨울 (　　　)이다.
(나그네새, 철새, 텃새)

걸린 시간 　　분　맞은 개수 　　개

정답과 해설 35쪽

1-3 다음 뜻풀이를 가진 낱말을 보기에서 찾아 문장의 빈칸에 알맞게 쓰세요.

보기

기른다 심는다
자라서 양육해서

1 동식물을 보살펴 자라게 하다.
→ 우리 반은 교실에서 꽃을 (   ).

2 식물의 뿌리나 씨앗 등을 흙 속에 묻다.
→ 언니가 화분에 꽃을 (   ).

3 부분적으로 또는 전체적으로 점점 커지다.
→ 봄에 심은 씨앗이 (   ) 새싹이 돋아났다.

4-6 다음 낱말과 속담의 뜻풀이로 알맞은 것을 찾아 기호를 쓰세요.

4 양육하다
㉠ 아이를 보살펴서 자라게 하다.
㉡ 사람이나 동식물 등이 자라서 점점 커지다.

5 쥐구멍에도 볕 들 날 있다
㉠ 몹시 운이 나쁜 삶도 노력하면 더 좋아질 수 있음.
㉡ 몹시 고생을 하는 삶도 좋은 운수가 터질 날이 있음.

6 흙
㉠ 곡식이나 채소 등의 씨.
㉡ 바위가 부서진 것과 동식물의 썩은 것이 섞여 만들어진 가루나 작은 알갱이.

7-9 다음 문장의 밑줄 친 낱말과 바꾸어 쓸 수 있는 낱말에 ○표를 하세요.

7 나는 밭에 오이를 심었다.
(묻었다, 재배하였다)

8 병아리가 성장해 닭이 되었다.
(늘어나, 자라나)

9 식물은 좋은 흙에서 잘 자란다.
(모래, 토양)

10-12 다음 낱말의 뜻풀이에 알맞은 말을 보기에서 찾아 쓰세요.

보기

동물 뜨거운 모래
식물 줄기 차가운

10 종자: (   )에서 나온 씨 또는 씨앗.

11 토양: 자갈, (   ) 등이 쌓여 있는 것으로, 식물을 자라게 할 수 있는 흙.

12 햇볕: 해가 내리쬐는 (   ) 느낌.

걸린 시간 분 맞은 개수 개

07회 어휘력 테스트

1-3 다음 밑줄 친 낱말의 뜻풀이를 보기에서 찾아 기호를 쓰세요.

보기
㉠ 나무가 많이 우거진 숲.
㉡ 집을 떠나 가까운 곳에 잠시 다녀오는 일.
㉢ 눈에 보이지 않고 냄새가 없는 투명한 기체.

1 우리는 산림을 지켜야 한다.

2 황사가 오는 봄에는 공기가 탁하다.

3 가을에는 산으로 나들이를 가기에 좋다.

4-6 다음 초성과 뜻풀이를 보고 빈칸에 들어갈 알맞은 낱말을 쓰세요.

4 ㅁ ㄷ : 먼지처럼 아주 작은 물체가 섞이거나 흐리지 않고 깨끗하다.
→ 우리나라의 가을 하늘은 높고 푸르며 (　　　).

5 ㅇ ㅈ : 사람이 만듦. 또는 그런 물건.
→ 운동장에는 (　　　) 잔디가 깔려 있다.

6 ㅈ ㅇ : 사람의 힘을 더하지 않고 저절로 이루어지는 모든 존재나 상태.
→ 지구의 아름다운 (　　　)을 보호해야 한다.

7-8 다음 빈칸에 공통으로 들어갈 알맞은 낱말을 보기에서 찾아 쓰세요.

보기
산보　울창한　인조　탁한

7
- 공원에서 (　　　)를 하다.
- 어머니의 취미는 (　　　)이다.

8
- (　　　) 물에서는 물고기가 살기 힘들다.
- 공기 청정기는 (　　　) 공기를 맑게 만든다.

9-10 다음 밑줄 친 낱말과 바꾸어 쓸 수 있는 낱말을 보기에서 찾아 쓰세요.

보기
나들이　맑다　무성하다　자연

9 뒷산에는 소나무가 울창하다.

10 가까운 바닷가로 산보를 다녀왔다.

11-12 다음 밑줄 친 부분과 의미가 통하는 낱말이나 관용어를 찾아 선으로 이으세요.

11 무성하게 우거진 나무들을 보니 마음이 시원하다. •　　• ㉠ 공기가 팽팽하다

12 결승전을 앞둔 경기장의 분위기는 몹시 긴장되었다. •　　• ㉡ 숲

1-3 다음 초성과 뜻풀이를 보고 알맞은 낱말을 쓰세요.

1 ㅁ ㅁ : 살아 있는 목숨이나 맥을 이어 나가는 근본. (　　)

2 ㅇ ㄲ ㄷ : 귀하고 중요하게 여겨 함부로 쓰거나 다루지 아니하다. (　　)

3 ㅎ ㅂ ㄹ : 마음대로 마구. 또는 생각 없이 아무렇게나. (　　)

4-5 다음 낱말의 뜻풀이에 알맞은 말을 찾아 ○표를 하세요.

4 꺾다: (길고, 짧고) 곧은 물체를 휘어 펴지지 않게 하거나 부러뜨리다.

5 보전: 변화되지 않고 본바탕대로 잘 지키거나 (바꿈, 유지함).

6-7 다음 뜻풀이를 가진 낱말이나 관용어를 보기 에서 찾아 문장의 빈칸에 알맞게 쓰세요.

보기
명맥　　붓을 꺾었다
풀밭　　붓을 들었다

6 글을 쓰는 활동을 그만두다.

→ 일제 강점기에는 많은 시인과 소설가들이 (　　　　).

7 잡초가 무성하게 많이 난 땅.

→ (　　　　)에 민들레가 예쁘게 피었다.

8-10 다음 낱말과 뜻풀이를 보고 뜻이 비슷한 낱말을 보기 에서 찾아 쓰세요.

보기
명맥　　보전　　함부로

8 보호: 위험이나 곤란 등이 미치지 않도록 잘 지키고 보살핌. (　　)

9 분별없이: 막되고 가리는 것이 없이. (　　)

10 생명: 동물과 식물이 스스로 살아 있게 하는 힘. (　　)

11-12 다음 빈칸에 들어갈 알맞은 낱말을 찾아 ○표를 하세요.

11 목장이 있는 푸른 (　　　)에 양들이 있다.
(초가, 초보, 초원)

12 지수는 용돈을 (　　　) 친구의 생일 선물을 샀다.
(절실하여, 절약하여, 절전하여)

걸린 시간 　　분　맞은 개수 　　개

1-3 다음 뜻풀이를 가진 낱말을 보기에서 찾아 문장의 빈칸에 알맞게 쓰세요.

보기: 감격 선물 잔치 축하

1 남에게 어떤 물건 등을 줌. 또는 그 물건.
→ 엄마께 드릴 ( )을 예쁘게 포장하였다.

2 마음에 깊이 느껴 크게 감동함. 또는 그 감동.
→ 금메달을 땄다는 소식을 듣고 ( )을 하였다.

3 기쁜 일이 있을 때에 음식을 차려 놓고 여러 사람이 모여 즐기는 일.
→ 어머니께서 ( )를 준비하느라 바쁘시다.

4-6 다음 낱말의 뜻풀이에 알맞은 말을 보기에서 찾아 쓰세요.

보기: 고마움 나오다 좋은

4 사례: 말이나 행동, 선물 등으로 상대에게 ( )을 나타냄.

5 축하: 남의 ( ) 일에 기쁘고 즐거운 마음으로 인사함. 또는 그런 인사.

6 출생하다: 세상에 ( ).

7-9 다음 문장의 밑줄 친 낱말과 바꾸어 쓸 수 있는 낱말에 ○표를 하세요.

7 동생이 어제 병원에서 태어났다.
(출가하였다, 출생하였다)

8 해마다 마을에서는 축제가 열린다.
(작년, 매년)

9 할아버지의 기타 연주에 감동을 받았다.
(감격, 감사)

10-11 다음 낱말의 뜻풀이로 알맞은 것을 찾아 기호를 쓰세요.

10 경축
㉠ 경사스러운 일을 축하함.
㉡ 크게 느껴 마음이 움직임.

11 사례
㉠ 말이나 행동, 선물 등으로 상대에게 고마움을 나타냄.
㉡ 남의 좋은 일에 기쁘고 즐거운 마음으로 인사함. 또는 그런 인사.

12 보기의 뜻풀이에 알맞은 속담의 기호를 쓰세요.

보기: 소문이나 큰 기대가 있지만 실제는 그렇지 않음.

㉠ 소문난 잔치에 먹을 것 없다
㉡ 가는 말이 고와야 오는 말이 곱다

걸린 시간 분 맞은 개수 개

정답과 해설 36쪽

1-3 **다음 밑줄 친 낱말의 뜻풀이를 보기에서 찾아 기호를 쓰세요.**

보기
㉠ 농작물이 잘되지 아니한 해.
㉡ 물건을 저장하거나 보관하는 건물.
㉢ 한해살이풀로, 열매를 찧으면 쌀이 됨.

1 수확한 쌀을 창고에 정리하였다.

2 흉년이 들어 농민들이 고생하였다.

3 누렇게 익은 벼가 들판에 가득하다.

4-6 **다음 초성과 뜻풀이를 보고 빈칸에 들어갈 알맞은 낱말을 쓰세요.**

4 ㄱ ㄱ : 식량이나 물건 등을 간직해 보관하는 곳.
→ 놀부네 집의 (   )에는 양식이 가득하였다.

5 ㄱ ㄹ : 쌀, 보리, 밀 등의 곡식을 통틀어 이르는 말.
→ 미숫가루는 여러 가지 (   )를 갈아서 만든다.

6 ㅇ ㄷ : 열매나 씨가 다 자라서 여물다.
→ 사과가 빨갛게 (   ).

7-8 **다음 빈칸에 공통으로 들어갈 알맞은 낱말을 보기에서 찾아 쓰세요.**

보기
곡식 풍년 흉년

7
• 보리는 (   ) 중 하나이다.
• 가을이 되어 (   )을 거두었다.

8
• 올해는 사과 농사가 (   )이 되었다.
• (   )이라 농부의 마음이 뿌듯하였다.

9-11 **다음 밑줄 친 낱말과 바꾸어 쓸 수 있는 낱말을 보기에서 찾아 쓰세요.**

보기
거두어 곡식 성숙해 창고

9 감나무 위에 감이 익어 간다.

10 곳간에 쌀가마니를 보관하였다.

11 은지는 딸기를 수확해 가족들과 먹었다.

12 **보기의 뜻풀이에 알맞은 속담의 기호를 쓰세요.**

보기
교양과 수양을 쌓은 사람일수록 다른 사람에게 자신을 내세우지 않음.

㉠ 벼 이삭은 익을수록 고개를 숙인다
㉡ 열 번 찍어 아니 넘어가는 나무 없다

걸린 시간 분 맞은 개수 개

11회 어휘력 테스트

1-3 다음 초성과 뜻풀이를 보고 알맞은 낱말을 쓰세요.

1 ㄱ ㄹ : 둘 사이가 공간적으로 떨어진 길이. (　　　)

2 ㄱ ㅇ : 골짜기나 들에 흐르는 작은 물줄기. (　　　)

3 ㄷ ㅅ : 많은 사람이 살며 지역의 정치, 경제, 문화의 중심이 되는 곳.

(　　　)

4-5 다음 낱말과 속담의 뜻풀이에 알맞은 말을 찾아 ○표를 하세요.

4 돌다리도 두들겨 보고 건너라: 잘 아는 일이라도 (세심하게, 소심하게) 주의를 해야 함.

5 시골: (도시, 섬)에서 떨어져 있는 지역.

6-7 다음 뜻풀이를 가진 낱말을 보기에서 찾아 문장의 빈칸에 알맞게 쓰세요.

보기

개천　　도시　　돌다리

6 돌로 놓은 다리.

→ 한 발 한 발 조심해서 (　　　)를 건넜다.

7 시내보다는 크고 강보다는 작은 물줄기.

→ 맑은 (　　　)에는 가재가 산다.

8-9 다음 낱말과 뜻풀이를 보고 뜻이 비슷한 낱말을 보기에서 찾아 쓰세요.

보기

개울　　거리　　야생화

8 개천: 시내보다는 크고 강보다는 작은 물줄기. (　　　)

9 들꽃: 들에 피는 꽃. (　　　)

10-12 다음 빈칸에 들어갈 알맞은 낱말을 찾아 ○표를 하세요.

10 (　　　)에는 높은 건물과 많은 사람이 있다.

(도시, 산촌, 시골)

11 들판에 핀 예쁜 (　　　)의 이름이 궁금하였다.

(개천, 돌다리, 야생화)

12 할머니께서는 마을 사람들과 정을 느끼며 (　　　) 지내신다.

(슬프게, 정답게)

걸린 시간 　　분　맞은 개수 　　개

1-3 다음 뜻풀이를 가진 낱말을 보기에서 찾아 문장의 빈칸에 알맞게 쓰세요.

보기: 거만 겸손 만족감 봉사

1 모자람이 없이 마음이 넉넉한 느낌.
→ 받아쓰기를 다 맞아서 (   )을 느꼈다.

2 잘난 체하며 남을 낮추어 보는 태도.
→ 욕심 많은 놀부는 (   )하게 굴었다.

3 남을 위하여 자신을 돌보지 아니하고 애씀.
→ 쓰레기를 줍는 (   )를 하였다.

4-6 다음 낱말의 뜻풀이에 알맞은 말을 보기에서 찾아 쓰세요.

보기: 다정 도움 보람 존중

4 겸손: 남을 (   )하고 자신을 낮추는 태도가 있음.

5 선의: 남에게 (   )을 주고자 하거나 좋은 목적을 가진 착한 마음.

6 친절하다: 매우 친근하고 (   )하다.

7 **보기의 뜻풀이에 알맞은 한자 성어의 기호를 쓰세요.**

보기: 여러 사람이 힘을 합하면 한 사람을 도와주기 쉬움.

㉠ 십시일반 ㉡ 십중팔구

8-10 다음 문장의 밑줄 친 낱말과 바꾸어 쓸 수 있는 낱말에 ○표를 하세요.

8 어려운 사람에게 <u>선의</u>를 베풀었다.
(호감, 호의)

9 선생님께서는 우리에게 <u>친절하시다</u>.
(자상하시다, 조용하시다)

10 다리를 다친 친구의 가방을 들어 주고 <u>보람</u>을 느꼈다.
(기대감, 만족감)

11-12 다음 낱말의 뜻풀이로 알맞은 것을 찾아 기호를 쓰세요.

11 도와주다
㉠ 남을 위하여 애써주다.
㉡ 남의 일을 간섭하고 막아 제대로 되지 못하게 하다.

12 보람
㉠ 친절한 마음씨나 좋게 생각하여 주는 마음.
㉡ 어떤 일을 한 뒤에 돌아오는 좋은 결과나 만족한 느낌.

걸린 시간 (   )분 맞은 개수 (   )개

13회 어휘력 테스트

1-3 다음 밑줄 친 낱말의 뜻풀이를 보기에서 찾아 기호를 쓰세요.

보기
㉠ 특별히 짚어 보이거나 알리다.
㉡ 어떤 일이 이루어지거나 일어나는 곳.
㉢ 어떤 일이나 내용 등을 상대편이 잘 알 수 있도록 밝혀 말함.

1 손가락으로 산 정상을 가리켰다.

2 내가 좋아하는 장소는 도서관이다.

3 동생에게 구구단을 설명해 주었다.

4-6 다음 초성과 뜻풀이를 보고 빈칸에 들어갈 알맞은 낱말을 쓰세요.

4 ㅁ ㄷ : 가루나 액체가 들러붙거나 흔적이 남게 되다.
→ 손에 먼지가 ( ).

5 ㅇ ㄷ : 목적하는 곳으로 안내하거나 이끌어 줌.
→ 강아지를 공원으로 ( )하였다.

6 ㅇ ㅊ : 일정한 곳에 자리를 차지함. 또는 그 자리나 장소.
→ 별이 잘 보이는 ( )에 망원경을 놓았다.

7-8 다음 빈칸에 공통으로 들어갈 알맞은 낱말을 보기에서 찾아 쓰세요.

보기
가르쳐 길 말 물어

7
- ( )에 자동차가 많다.
- ( )에 쓰레기를 버리지 말아야 한다.

8
- 누나가 영어를 ( ) 주었다.
- 동생에게 구구단을 ( ) 주려고 준비하였다.

9-11 다음 밑줄 친 낱말과 바꾸어 쓸 수 있는 낱말을 보기에서 찾아 쓰세요.

보기
길 말 안내 장소

9 비행기 접는 방법을 설명하였다.

10 내가 친구를 피아노 학원으로 인도하였다.

11 놀이터는 우리 집에서 가까운 위치에 있다.

12 보기의 뜻풀이에 알맞은 속담의 기호를 쓰세요.

보기
무슨 일이나 그 일의 시작이 중요함.

㉠ 천 리 길도 한 걸음부터
㉡ 발 없는 말이 천 리 간다

걸린 시간 분 맞은 개수 개

1-3 다음 초성과 뜻풀이를 보고 알맞은 낱말을 쓰세요.

1 ㅁ ㅇ : 감정이나 생각, 의지 등을 느끼거나 일으키는 태도. (　　　)

2 ㅈ ㅅ : 거짓이 없는 참된 마음. (　　　)

3 ㅊ ㅊ : 좋은 점이나 착하고 훌륭한 일을 높이 평가함. 또는 그런 말. (　　　)

4-5 다음 낱말의 뜻풀이에 알맞은 말을 찾아 ○표를 하세요.

4 뛰어나다: 남보다 훨씬 (낮거나, 높거나) 앞서 있다.

5 특별하다: (일반적인, 전문적인) 것과 아주 다르다.

6-7 다음 뜻풀이를 가진 낱말을 보기 에서 찾아 문장의 빈칸에 알맞게 쓰세요.

보기: 본심 　 부인 　 칭찬

6 본래 지니고 있는 마음.
→ 장난을 심하게 쳤던 친구의 (　　　)은 친하게 지내고 싶은 것이었다.

7 어떤 사실을 그렇다고 여기지 않음.
→ 그 친구는 자신의 잘못을 (　　　)하였다.

8-10 다음 낱말과 뜻풀이를 보고 뜻이 반대인 말을 보기 에서 찾아 쓰세요.

보기: 부인 　 우수하다 　 칭찬 　 특별하다

8 인정: 확실히 그렇다고 여김. (　　　)

9 질책: 잘못을 꾸짖어 주의를 주며 알아듣게 말함. (　　　)

10 평범하다: 뛰어나거나 색다른 점이 없이 흔히 있을 만하다. (　　　)

11-12 다음 빈칸에 들어갈 알맞은 낱말과 관용어를 찾아 ○표를 하세요.

11 나는 새로 산 신발이 (　　　　).
(마음에 찼다, 마음을 풀었다)

12 글쓰기 능력이 (　　　) 학생이 대상을 받았다.
(우수한, 평범한)

걸린 시간 　　 분 　 맞은 개수 　　 개

15회 어휘력 테스트

1-3 다음 뜻풀이를 가진 낱말을 보기에서 찾아 문장의 빈칸에 알맞게 쓰세요.

보기

고마웠다 자랑스러워
평화로워 혼란하였다

1 평온하고 화목하다.
→ 노을이 지는 바다는 ( ) 보였다.

2 마음이나 정신 등이 어둡고 어지럽다.
→ 태풍이 와서 온 마을이 ( ).

3 남의 도움 등에 마음이 즐겁고 감동적이다.
→ 청소를 도와준 친구에게 ( ).

4-6 다음 낱말의 뜻풀이에 알맞은 말을 보기에서 찾아 쓰세요.

보기

고마운 모자람
편안하다 혼란하다

4 감사하다: 고맙게 여기거나 ( ) 마음이 있다.

5 무사하다: 아무런 일이 없거나 아무 탈 없이 ( ).

6 흐뭇하다: ( )이 없이 넉넉하여 매우 만족스럽다.

7-9 다음 문장의 밑줄 친 낱말과 바꾸어 쓸 수 있는 낱말에 ○표를 하세요.

7 농부는 농사가 잘되어 흡족하였다.
(불안하였다, 흐뭇하였다)

8 눈이 많이 내렸지만 비닐하우스는 평화로웠다.
(무사하였다, 불행하였다)

9 자리를 양보해 준 아저씨께 감사한 마음이 들었다.
(고마운, 미안한)

10-11 다음 낱말의 뜻풀이로 알맞은 것을 찾아 기호를 쓰세요.

10 자랑스럽다
㉠ 고맙게 여기거나 고마운 마음이 있다.
㉡ 남에게 드러내어 뽐낼 만한 데가 있다.

11 흡족하다
㉠ 편하고 걱정 없이 좋다.
㉡ 조금도 모자람이 없이 넉넉하여 만족하다.

12 보기의 뜻풀이에 알맞은 한자 성어의 기호를 쓰세요.

크게 성공하여 고향에 돌아옴.

㉠ 금의환향
㉡ 금지옥엽

걸린 시간 분 맞은 개수 개

16회 어휘력 테스트

정답과 해설 37쪽

1-3 다음 밑줄 친 낱말의 뜻풀이를 보기에서 찾아 기호를 쓰세요.

보기
㉠ 산에서 내려오거나 내려감.
㉡ 바닷물과 땅이 서로 닿은 곳이나 그 근처.
㉢ 일이나 구경을 목적으로 다른 곳에 가는 일.

1 바닷가에서 조개껍데기를 주웠다.

2 산에서는 해가 지기 전에 하산해야 한다.

3 제주도로 여행을 가서 유채꽃을 구경하였다.

4-6 다음 초성과 뜻풀이를 보고 빈칸에 들어갈 알맞은 낱말을 쓰세요.

4 | ㅇ | ㅂ | ㅁ | ㅎ | : 미리 준비가 되어 있으면 걱정할 것이 없음.
→ 어떤 시험이더라도 (　　　　)이다.

5 | ㅈ | ㅂ | : 미리 마련하여 갖춤.
→ 우리 반은 가을 운동회 (　　　　)로 매우 바빴다.

6 | ㅎ | ㅇ | : 바다와 땅이 마주 닿은 부분.
→ (　　　　)에 밀려온 쓰레기를 주웠다.

7-8 다음 빈칸에 공통으로 들어갈 알맞은 낱말을 보기에서 찾아 쓰세요.

보기 등산　해안　헤엄

7
- 올챙이가 개울에서 (　　　　)을 친다.
- 수영장에서 (　　　　)치는 법을 배웠다.

8
- 주말에 부모님과 (　　　　)을 하였다.
- (　　　　)을 하기 위해서 설악산에 갔다.

9-10 다음 밑줄 친 낱말과 바꾸어 쓸 수 있는 낱말을 보기에서 찾아 쓰세요.

보기 예매　유람　유영　준비

9 부산에 가려고 기차표를 예약하였다.

10 바다에서 헤엄을 하며 물놀이를 즐겼다.

11-12 다음 밑줄 친 부분과 의미가 통하는 낱말을 찾아 선으로 이으세요.

11 가족과 강원도를 돌아다니며 구경하였다. •　　• ㉠ 예약

12 할머니 생신을 맞아 식당에 식사를 미리 약속하였다. •　　• ㉡ 유람

걸린 시간 (　　) 분　맞은 개수 (　　) 개

17회 어휘력 테스트

1-3 다음 초성과 뜻풀이를 보고 알맞은 낱말을 쓰세요.

1 ㄱ ㄴ : 어두운 부분. ( )

2 ㅇ ㄹ : 일 년 중 가장 무더운 계절로 봄과 가을 사이. ( )

3 ㅎ ㅅ : 몹시 심한 더위. ( )

4-5 다음 낱말과 관용어의 뜻풀이에 알맞은 말을 찾아 ○표를 하세요.

4 머리를 식히다: 흥분되거나 (긴장된, 설레는) 마음을 가라앉히다.

5 폭양: (뜨겁게, 차갑게) 내리쬐는 볕을 쬠. 또는 그 볕.

6-7 다음 뜻풀이를 가진 낱말을 보기에서 찾아 문장의 빈칸에 알맞게 쓰세요.

보기
뙤약볕 음지 휴가

6 햇빛이 잘 비치지 않는 어두운 곳.
→ 이끼는 ( )에서 잘 자란다.

7 여름에 강하게 내리쬐는 몹시 뜨거운 볕.
→ ( )에 널어 둔 고추가 말랐다.

8-10 다음 낱말과 뜻풀이를 보고 뜻이 비슷한 낱말을 보기에서 찾아 쓰세요.

보기
여가 여름 혹서

8 더위: 여름철의 더운 기운. ( )

9 하계: 여름의 시기. ( )

10 휴가: 학업 또는 근무를 일정한 기간 동안 쉬는 일이나 그 기간. ( )

11-12 다음 빈칸에 들어갈 알맞은 낱말을 찾아 ○표를 하세요.

11 뜨거운 차는 천천히 ( ) 마셔야 한다.
(끓여, 데워, 식혀)

12 이모께서 ( )를 보내시려고 바닷가에 가셨다.
(휴가, 휴교)

걸린 시간 분 맞은 개수 개

18회 어휘력 테스트

정답과 해설 38쪽

1-3 **다음 뜻풀이를 가진 낱말을 보기에서 찾아 문장의 빈칸에 알맞게 쓰세요.**

보기: 다쳐서 아파서 진료 편리

1 부딪치거나 넘어져 상처를 입다.
→ 달리기를 하다가 ( ) 약을 발랐다.

2 편하고 이로우며 이용하기 쉬움.
→ 계산기는 많은 숫자를 계산하기에 빠르고 ( )하다.

3 몸에 이상이 생겨 몹시 괴로운 느낌이 있다.
→ 수진이는 이가 ( ) 치과에 갔다.

4-6 **다음 낱말의 뜻풀이에 알맞은 말을 보기에서 찾아 쓰세요.**

보기: 괴로움 병 상처

4 불편: 몸이나 마음이 편하지 않고 ( ).

5 열: ( )으로 인하여 몸에 오르는 더운 기운.

6 치료: 병이나 ( ) 등을 잘 다스려 낫게 함.

7-9 **다음 문장의 밑줄 친 낱말과 바꾸어 쓸 수 있는 낱말에 ○표를 하세요.**

7 몸이 아파 병원에 갔다.
(고집스러워, 고통스러워)

8 동생은 손가락을 다쳐 진료를 받았다.
(상처, 치료)

9 햇빛을 오래 쬐었더니 피부가 상하였다.
(나았다, 다쳤다)

10-11 **다음 낱말의 뜻풀이로 알맞은 것을 찾아 기호를 쓰세요.**

10 발열
㉠ 열이 나거나 열을 냄.
㉡ 편하고 이로우며 이용하기 쉬움.

11 진료
㉠ 의사가 환자를 진찰하고 치료하는 일.
㉡ 병으로 인하여 몸에 오르는 더운 기운.

12 **보기의 뜻풀이에 알맞은 관용어의 기호를 쓰세요.**

보기: 남의 눈치를 가만히 보거나 살피다.

㉠ 눈치를 살피다
㉡ 시치미를 떼다

19회 어휘력 테스트

1-3 다음 밑줄 친 낱말의 뜻풀이를 보기에서 찾아 기호를 쓰세요.

보기
㉠ 여럿 중에서 가려내거나 뽑다.
㉡ 빌리거나 받은 것을 다시 돌려줌.
㉢ 바라는 바를 이루게 하여 달라고 간절히 부탁하다.

1 보름달을 보며 소원을 빌었다.

2 도서관에 빌린 책을 반납하였다.

3 꽃 가게의 꽃 중 장미만 골라서 꽃다발을 만들었다.

4-6 다음 초성과 뜻풀이를 보고 빈칸에 들어갈 알맞은 낱말을 쓰세요.

4 ㅂ ㅎ : 빌리거나 가졌던 것을 다시 돌려줌.
→ 야구 경기가 취소되어 입장료가 ( ) 되었다.

5 ㅇ ㅇ : 무엇을 필요에 따라 이롭게 씀.
→ 지하철을 ( )하여 박물관에 갔다.

6 ㅊ ㄷ : 무엇을 발견하기 위해 살피다.
→ 은미가 잃어버렸던 지갑을 ( ).

7-8 다음 빈칸에 공통으로 들어갈 알맞은 낱말을 보기에서 찾아 쓰세요.

보기
빌려 빌어 잠잠하다 찾다

7
• 교실은 늘 ( ).
• 태풍이 지나간 하늘이 ( ).

8
• 도서관에서 책을 ( ) 읽었다.
• 친구에게 물감을 ( ) 주었다.

9-10 다음 밑줄 친 낱말과 바꾸어 쓸 수 있는 낱말을 보기에서 찾아 쓰세요.

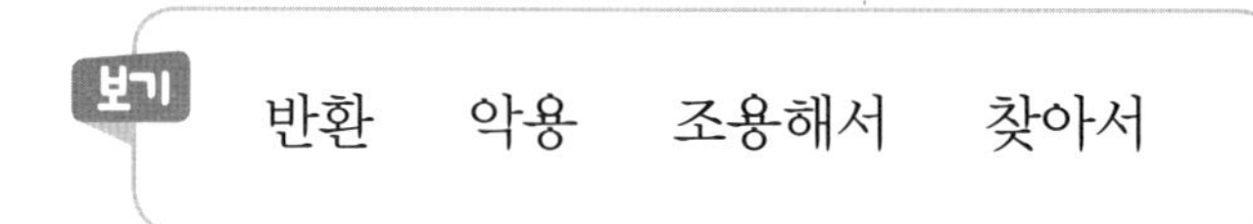

9 빌린 자전거를 반납하였다.

10 독서실은 잠잠해서 공부가 잘된다.

11-12 다음 밑줄 친 부분과 의미가 통하는 낱말이나 관용어를 찾아 선으로 이으세요.

11 약초를 알맞지 않게 쓰면 위험하다. •　　• ㉠ 악용

12 내가 한 실수가 부끄러워서 어디에라도 숨고 싶었다. •　　• ㉡ 쥐구멍을 찾다

20회 어휘력 테스트

1-3 다음 초성과 뜻풀이를 보고 알맞은 낱말을 쓰세요.

1 ㄷ ㅈ : 마음이나 뜻을 굳게 가다듬어 정함. ( )

2 ㅂ ㄹ : 여러 번 되풀이하여 저절로 익고 굳어진 행동이나 성질. ( )

3 ㅎ ㅍ : 상품의 교환 가치를 나타내는 것으로 일반화된 방법. ( )

4-6 다음 낱말의 뜻풀이에 알맞은 말을 찾아 ○표를 하세요.

4 각오: (앞으로, 지금부터) 해야 할 일이나 겪을 일에 대한 마음의 준비.

5 세다: 힘이 (많다, 적다).

6 소비: 돈이나 (시간, 힘) 등을 들이거나 써서 없앰.

7-8 다음 뜻풀이를 가진 낱말을 보기 에서 찾아 문장의 빈칸에 알맞게 쓰세요.

보기
고대하였다 다짐
세었다 저축

7 아껴서 모아 둠.
→ 용돈을 조금씩 ( )하여 책을 샀다.

8 무엇을 몹시 기다리다.
→ 소풍날이 빨리 오기를 ( ).

9-11 다음 낱말과 뜻풀이를 보고 뜻이 비슷한 낱말을 보기 에서 찾아 쓰세요.

보기
각오 고대하다 세다 화폐

9 기다리다: 어떤 사람이나 때가 오기를 바라다. ( )

10 다짐: 마음이나 뜻을 굳게 가다듬어 정함. ( )

11 돈: 금속이나 종이로 만든 것으로 사물의 가치를 나타내는 물건. ( )

12 **보기 의 뜻풀이에 알맞은 속담의 기호를 쓰세요.**

보기
어릴 때부터 나쁜 버릇이 들지 않도록 잘 가르쳐야 함.

㉠ 번갯불에 콩 볶아 먹겠다
㉡ 세 살 적 버릇이 여든까지 간다

걸린 시간 분 맞은 개수 개

21회 어휘력 테스트

1-3 다음 뜻풀이를 가진 낱말을 보기에서 찾아 문장의 빈칸에 알맞게 쓰세요.

보기
복잡하게　본보기
신속하게　여럿

1 매우 날쌔고 빠르다.
→ 동민이는 약속에 늦어서 만나기로 한 장소로 (　　　　) 갔다.

2 많은 수의 사람이나 물건.
→ 축구를 하려면 선수 (　　　　)이 있어야 한다.

3 그대로 따라 할 만한 대상.
→ 그는 학생들이 꿈을 키우는 (　　　　)가 되었다.

4-6 다음 낱말의 뜻풀이에 알맞은 말을 보기에서 찾아 쓰세요.

보기
고민　기준
뒤죽박죽　어수선　차례

4 복잡하다: 일이나 감정 등이 (　　　　) 얽혀 있다.

5 순서: 무슨 일을 행하거나 무슨 일이 이루어지는 (　　　　).

6 혼잡: 여럿이 한데 뒤섞여 (　　　　)함.

7-9 다음 문장의 밑줄 친 낱말과 바꾸어 쓸 수 있는 낱말에 ○표를 하세요.

7 친구들 여럿이 떡볶이를 먹으러 갔다.
(다소, 다수)

8 동생에게 본보기를 보이려고 노력하였다.
(모범, 모습)

9 출발 시간이 다가와서 신속하게 역으로 갔다.
(빠르게, 신나게)

10-11 다음 낱말의 뜻풀이로 알맞은 것을 찾아 기호를 쓰세요.

10 질서
㉠ 본받아 배울 만한 대상.
㉡ 혼란 없이 순조롭게 이루어지게 하는 사물의 순서나 차례.

11 차례
㉠ 낱낱의 수가 많음.
㉡ 여럿을 앞뒤로 벌여 나가는 관계. 또는 각각에게 돌아오는 기회.

12 보기의 뜻풀이에 알맞은 관용어의 기호를 쓰세요.

보기
고민이 많다.

㉠ 머리가 단순하다
㉡ 머리가 복잡하다

걸린 시간 　분　맞은 개수 　개

22회 어휘력 테스트

정답과 해설 39쪽

1-3 다음 밑줄 친 낱말의 뜻풀이를 보기 에서 찾아 기호를 쓰세요.

보기
㉠ 물건 등을 옮겨 나름.
㉡ 과일이나 생선 등이 싱싱하다.
㉢ 값을 치르고 자기 것으로 만들다.

1 고구마를 사서 튀김을 만들었다.

2 건강을 위해 신선한 채소를 먹었다.

3 배추를 운반하기 위해 손수레를 가져왔다.

4-6 다음 초성과 뜻풀이를 보고 빈칸에 들어갈 알맞은 낱말을 쓰세요.

4 ㅇ ㄹ : 먹을 수 있는 짐승의 고기 종류.
→ (   )만 많이 먹으면 건강에 좋지 않다.

5 ㅇ ㅊ : 필요한 어떤 일이나 행동을 부탁함.
→ 미술 작품을 만지지 말라고 (   )하였다.

6 ㅍ ㄷ : 물건 등을 값을 받고 넘기다.
→ 가게에서 맛있는 사과를 (   ).

7-8 다음 빈칸에 공통으로 들어갈 알맞은 낱말을 보기 에서 찾아 쓰세요.

보기 운반 주문 채소

7 • (   )로 잡채를 만들다.
• (   )를 먹어 건강하다.

8 • (   )한 물건을 받았다.
• 전화로 음식을 (   ) 하였다.

9-10 다음 밑줄 친 낱말과 바꾸어 쓸 수 있는 낱말을 보기 에서 찾아 쓰세요.

보기 샀다 싱싱하였다 판매하였다

9 텃밭에서 딴 토마토가 신선하였다.

10 안 쓰는 물건을 중고 시장에 팔았다.

11-12 다음 밑줄 친 부분과 의미가 통하는 낱말이나 관용어를 찾아 선으로 이으세요.

11 엄마께서 밭에서 기르신 무로 요리를 하셨다. • • ㉠ 인심을 사다

12 그는 어려운 이웃을 도와 남들에게 좋은 평을 얻었다. • • ㉡ 채소

걸린 시간 ( ) 분 맞은 개수 ( ) 개

23회 어휘력 테스트

1-3 다음 초성과 뜻풀이를 보고 알맞은 낱말을 쓰세요.

1 ㅁ ㅈ : 몸을 움직이는 모양. (　　　)

2 ㅅ ㅃ : 손바닥과 손가락을 합친 전체 바닥. (　　　)

3 ㅇ ㅁ : 맡은 일. 또는 맡겨진 일. (　　　)

4-5 다음 낱말과 속담의 뜻풀이에 알맞은 말을 찾아 ○표를 하세요.

4 두 손뼉이 맞아야 소리가 난다: 두 편에서 서로 뜻이 (달라야, 맞아야) 이루어질 수 있음.

5 연희: (말, 표정)과 동작으로 여러 사람 앞에서 재주를 부림.

6-7 다음 뜻풀이를 가진 낱말을 보기 에서 찾아 문장의 빈칸에 알맞게 쓰세요.

보기
객석　대본　손뼉　행동

6 극장, 경기장 등에서 손님이 앉는 자리.
→ 공연을 보며 (　　　)에서 떠들면 안 된다.

7 몸을 움직여 어떤 움직임을 행하거나 일을 함.
→ 꼬리를 흔드는 강아지의 (　　　)에 웃음이 나왔다.

8-10 다음 낱말과 뜻풀이를 보고 뜻이 비슷한 낱말을 보기 에서 찾아 쓰세요.

보기
각본　무대　연희　임무

8 대본: 연극, 영화 등을 만들 때 기본이 되는 글. (　　　)

9 역할: 영화나 연극 등에서 배우가 극에 등장하는 인물을 맡는 일. (　　　)

10 연극: 배우가 연극을 위해 쓴 글에 따라 관객에게 보이는 무대 예술. (　　　)

11-12 다음 빈칸에 들어갈 알맞은 낱말을 찾아 ○표를 하세요.

11 가수들이 (　　　)에서 화려한 공연을 하였다.
(무대, 임무)

12 동생은 (　　　)에서 착한 다람쥐 역할을 맡았다.
(객석, 연극)

걸린 시간 　　분　맞은 개수 　　개

정답과 해설 39쪽

1-3 다음 뜻풀이를 가진 낱말을 보기 에서 찾아 문장의 빈칸에 알맞게 쓰세요.

보기
만들어 색칠 잘라 창작물

1 독창적으로 만든 예술 작품.
→ 도화지로 만든 나의 (   )이 전시되었다.

2 빛깔이 나게 칠을 함. 또는 그 칠.
→ 그림책을 크레파스로 알록달록하게 (   )하였다.

3 재료나 소재 등에 노력이나 기술을 들여 이루어 내다.
→ 엄마께서 별 모양 인형을 (   ) 주셨다.

4-6 다음 낱말의 뜻풀이에 알맞은 말을 보기 에서 찾아 쓰세요.

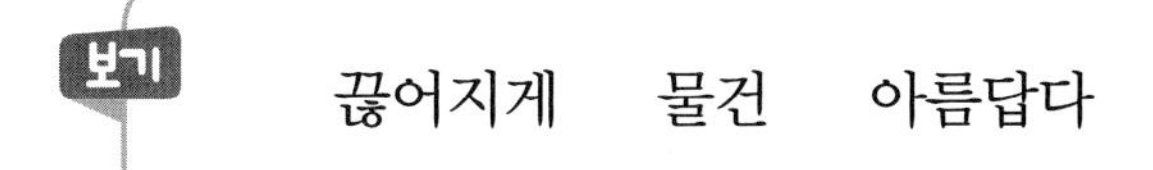

4 자르다: 무엇을 잘라지거나 (   ) 하다.

5 재료: (   )을 만드는 데 들어가는 것.

6 화려하다: 환하게 빛나며 곱고 (   ).

7-9 다음 문장의 밑줄 친 낱말과 바꾸어 쓸 수 있는 낱말에 ○표를 하세요.

7 나무를 재료로 의자를 만들었다.
(소재, 창작물)

8 누나가 맛있는 빵을 제조하였다.
(만들었다, 먹었다)

9 낡은 벽을 예쁜 색의 페인트로 색칠하였다.
(채굴, 채색)

10-11 다음 낱말의 뜻풀이로 알맞은 것을 찾아 기호를 쓰세요.

10 간단하다
㉠ 단순하고 간략하다.
㉡ 원료에 인공을 가하여 제품을 만들다.

11 작품
㉠ 어떤 것을 만드는 데 바탕이 되는 것.
㉡ 예술 창작 활동으로 얻어지는 결과물.

12 보기 의 뜻풀이에 알맞은 관용어의 기호를 쓰세요.

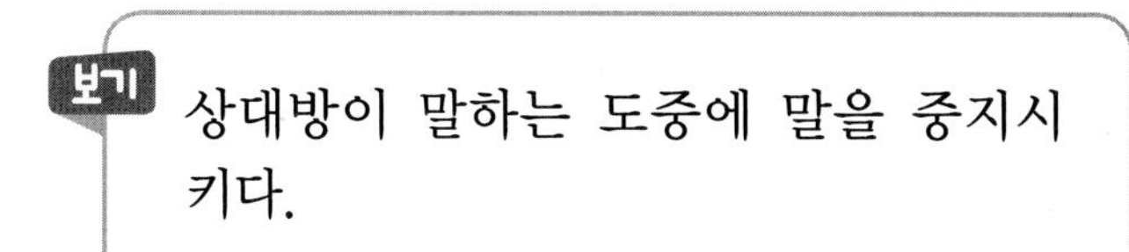

㉠ 말을 삼키다
㉡ 말머리를 자르다

MEMO

정답과
해설

확인 학습 정답과 해설

01회

▶ 본문 10~11쪽

1 ㉡	2 ㉢	3 ㉠	4 은사
5 입학	6 선생님	7 생계	8 졸업
9 학습	10 ㉢	11 ㉠	12 ㉡
13 ㉡	14 예 나는 학교에서 배운 것을 공부하였다.		

6 '선생님'은 '학생을 가르치는 사람을 높여 이르는 말.'을 뜻하는 말입니다. 따라서 빈칸에 들어갈 낱말은 '선생님'입니다.

7 '생계'는 '살림을 살아 나갈 방법이나 형편.'을 뜻하는 말입니다. 따라서 빈칸에 들어갈 낱말은 '생계'입니다.

13 '죽마고우'는 '어릴 때부터 같이 놀며 자란 벗.'을 뜻하는 한자 성어입니다. 따라서 '죽마고우'와 어울리는 것은 아버지의 '초등학생 때 친구'입니다.

02회

▶ 본문 14~15쪽

1 ㉡	2 ㉡	3 ㉡	4 ㉡
5 ㉠	6 단속하였다	7 나누었다	8 챙기다
9 필요	10 ㉡	11 ㉠	12 ㉢
13 ㉢	14 예 나는 학교에서 필요한 물건을 챙겼다.		

6 '단속하다'는 '주의를 기울여 다잡거나 보살피다.'를 뜻하는 낱말입니다. 따라서 빈칸에 들어갈 낱말은 '단속하였다'입니다.

7 '나누다'는 '하나를 둘 이상으로 가르다.'를 뜻하는 낱말입니다. 따라서 빈칸에 들어갈 낱말은 '나누었다'입니다.

13 '손을 나누다'는 '일을 여럿이 나누어 하다.'를 뜻하는 관용어로, 알맞은 것은 ㉢입니다. ㉠은 관용어 '손을 붙이다', ㉡은 '손을 떼다'의 뜻풀이입니다.

03회

▶ 본문 18~19쪽

1 기준	2 자동차	3 선별	4 기호
5 ㉡	6 ㉠	7 건널목	8 규칙
9 ㉢	10 ㉡	11 ㉠	12 ㉡
13 예 신호가 바뀌고 차가 멈추면 길을 건너야 한다.			

5 '신호'는 '일정한 부호, 표지 등으로 어떤 정보를 전달하거나 지시를 함. 또는 그 부호.'를 뜻하는 말로, ㉡이 '신호'가 들어가기에 알맞은 문장입니다.

6 '차도'는 '사람이 다니는 길 등과 구분하여 자동차만 다니게 한 길.'을 뜻하는 말입니다. 따라서 ㉠이 '차도'가 들어가기에 알맞은 문장입니다.

12 밑줄 친 속담의 뜻풀이는 '아무리 급해도 순서를 밟아서 일해야 함.'입니다. 따라서 ㉡이 속담의 뜻풀이로 알맞습니다.

04회

▶ 본문 22~23쪽

1 ㉡	2 ㉢	3 ㉠	4 인사
5 소개	6 ㉡	7 ㉠	8 막역
9 안부	10 ㉠	11 ㉢	12 ㉡
13 인사	14 예 나는 짝과 친구 사이이고 친하다.		

6 '포옹하다'는 '사람을 또는 사람끼리 품에 껴안다.'를 뜻하는 말입니다. 따라서 문장에 들어가기에 알맞은 낱말은 '포옹하였다'입니다.

7 '친하다'는 '가까이 사귀어 정이 두텁다.'를 뜻하는 말입니다. 따라서 문장에 들어가기에 알맞은 낱말은 '친하였다'입니다.

13 '인사를 붙이다'는 '처음 만나는 사람끼리 이름을 통하여 자기를 소개하다.'를 뜻하는 관용어입니다. 따라서 빈칸에 들어갈 말은 '인사'입니다.

05회

▶ 본문 26~27쪽

1 ㉡	2 ㉠	3 ㉡	4 ㉡
5 ㉠	6 온난해서	7 변해서	8 달라지다
9 옷차림	10 ㉠	11 ㉢	12 ㉡
13 ㉡	14 예 봄이 와서 나무들의 모습이 달라졌다.		

6 '온난하다'는 '날씨가 따뜻하다.'를 뜻하는 말로, 빈칸에 들어갈 낱말은 '온난해서'입니다.

7 '변하다'는 '무엇이 다른 것이 되거나 다른 성질로 달라지다.'를 뜻하는 말입니다. 따라서 빈칸에 들어갈 낱말은 '변해서'입니다.

13 '봄을 타다'는 '봄철에 입맛이 없어지거나 몸이 나른해지고 파리해지다.'를 뜻하는 관용어입니다. ㉠은 관용어 '목이 타다'의 뜻풀이입니다.

06회

▶ 본문 30~31쪽

1 동식물	2 식물	3 느낌	4 심다
5 토양	6 ㉡	7 ㉠	8 씨앗
9 양육	10 ㉡	11 흙	12 종자
13 ㉢	14 예 꽃밭에 씨앗을 심었다.		

6 '성장하다'는 '사람이나 동식물 등이 자라서 점점 커지다.'를 뜻하는 말입니다. 따라서 '성장하는'이 들어가기에 알맞은 문장은 ㉡입니다.

7 '재배하다'는 '식물을 심어 가꾸다.'를 뜻하는 말입니다. 따라서 '재배하는'이 들어가기에 알맞은 문장은 ㉠입니다.

13 '쥐구멍에도 볕 들 날 있다'는 '몹시 고생을 하는 삶도 좋은 운수가 터질 날이 있음.'을 뜻하는 속담입니다. ㉠은 속담 '금강산도 식후경', ㉡은 속담 '갈수록 태산'의 상황으로 알맞습니다.

07회

▶ 본문 34~35쪽

1 ㉡	2 ㉢	3 ㉠	4 ㉠
5 ㉡	6 산보	7 공기	8 맑다
9 울창	10 ㉠	11 ㉡	12 ㉡
13 분위기	14 예 나무가 울창한 산으로 나들이를 갔다.		

6 '산보'는 '휴식을 취하거나 건강을 위해서 천천히 걷는 일.'을 뜻하는 말입니다. 따라서 빈칸에 들어갈 낱말은 '산보'입니다.

12 ㉠은 반대말 관계, ㉡은 비슷한말 관계, ㉢은 반대말 관계입니다. 따라서 짝 지어진 낱말의 관계가 나머지와 다른 것은 ㉡입니다.

13 '공기가 팽팽하다'는 '분위기가 몹시 긴장되어 있다.'를 뜻하는 관용어입니다. 따라서 빈칸에 들어갈 말은 '분위기'입니다.

08회

▶ 본문 38~39쪽

1 ㉡	2 ㉡	3 ㉠	4 초원
5 보호	6 ㉡	7 ㉠	8 풀밭
9 함부로	10 ㉢	11 ㉠	12 ㉡
13 ㉡	14 예 소중한 생명을 위해 자연을 아껴야 한다.		

6 '꺾다'는 '길고 곧은 물체를 휘어 펴지지 않게 하거나 부러뜨리다.'를 뜻하는 말입니다. 따라서 '꺾어서'가 들어가기에 알맞은 문장은 ㉡입니다.

7 '아끼다'는 '귀하고 중요하게 여겨 함부로 쓰거나 다루지 아니하다.'를 뜻하는 말입니다. 따라서 '아껴서'가 들어가기에 알맞은 문장은 ㉠입니다.

13 '붓을 꺾다'는 '글을 쓰는 활동을 그만두다.'를 뜻하는 관용어입니다. 따라서 뜻풀이로 알맞은 것은 ㉡입니다. ㉠은 관용어 '붓을 들다'의 뜻풀이입니다.

확인 학습 정답과 해설

09회

▶ 본문 42~43쪽

1 마음	2 축하	3 형태	4 감격
5 축하	6 선물	7 감동	8 매년
9 출생	10 ㉠	11 ㉢	12 ㉡
13 ㉡	14 예 매년 내가 태어난 날이 온다.		

6 '선물'은 '남에게 어떤 물건 등을 줌. 또는 그 물건.'을 뜻하는 말입니다. 따라서 빈칸에 들어갈 낱말은 '선물'입니다.

7 '감동'은 '크게 느껴 마음이 움직임.'을 뜻하는 말입니다. 따라서 빈칸에 들어갈 낱말은 '감동'입니다.

13 '소문난 잔치에 먹을 것 없다'는 '소문이나 큰 기대가 있지만 실제는 그렇지 않음.'을 뜻하는 속담입니다. ㉡은 '어떤 일을 하려고 하는데 뜻하지 않은 일을 당함.'을 뜻하는 속담인 '가는 날이 장날'의 상황으로 알맞습니다.

10회

▶ 본문 46~47쪽

1 ㉢	2 ㉡	3 ㉠	4 ㉡
5 ㉠	6 풍년	7 곳간	8 수확
9 창고	10 ㉢	11 수확한	12 성숙한
13 고개	14 예 농부가 곡식을 수확하였다.		

6 '풍년'은 '농사가 잘되어 수확이 많은 해.'를 뜻하는 말로, 빈칸에 들어갈 낱말은 '풍년'입니다.

7 '곳간'은 '식량이나 물건 등을 간직해 보관하는 곳.'을 뜻하는 말입니다. 따라서 빈칸에 들어갈 낱말은 '곳간'입니다.

13 보기 의 '교양과 수양을 쌓은 사람일수록 다른 사람에게 자신을 내세우지 않음.'이라는 뜻풀이를 가진 속담은 '벼 이삭은 익을수록 고개를 숙인다'입니다. 따라서 속담의 빈칸에 들어갈 말은 '고개'입니다.

11회

▶ 본문 50~51쪽

1 ㉡	2 ㉠	3 개천	4 도시
5 ㉡	6 ㉠	7 들꽃	8 의좋다
9 ㉠	10 ㉡	11 ㉠	12 ㉡
13 예 도시보다 시골이 정답게 느껴진다.			

5 "시골에 있는 '개울' 안에는 물고기가 산다."가 알맞은 문장입니다.

6 "'돌다리'에 개구리가 붙어 있어서 놀랐다."가 알맞은 문장입니다.

12 '돌다리도 두들겨 보고 건너라'는 '잘 아는 일이라도 세심하게 주의를 해야 함.'을 뜻하는 속담입니다. ㉠은 속담 '마파람에 게 눈 감추듯', ㉢은 속담 '내 코가 석자'의 상황입니다.

12회

▶ 본문 54~55쪽

1 존중	2 모자람	3 마음씨	4 ㉡
5 ㉠	6 보람	7 거만	8 봉사
9 친절	10 ㉢	11 ㉠	12 ㉡
13 힘, 합	14 예 봉사를 하여 이웃을 도와주었다.		

6 '보람'은 '어떤 일을 한 뒤에 돌아오는 좋은 결과나 만족한 느낌.'을 뜻하는 말입니다. 따라서 "청소를 한 후 깨끗해진 방을 보고 '보람'을 느꼈다."가 알맞습니다.

7 '거만'은 '잘난 체하며 남을 낮추어 보는 태도.'를 뜻하는 말입니다. 따라서 "언니는 칭찬을 받고 잘난 체하며 '거만'하게 있었다."가 알맞습니다.

13 '십시일반'은 '여러 사람이 힘을 합하면 한 사람을 도와주기 쉬움.'을 뜻하는 한자 성어입니다. 따라서 빈칸에 들어갈 말은 '힘', '합'입니다.

13회

▶ 본문 58~59쪽

1 ㉢	2 ㉡	3 ㉠	4 묻다
5 위치	6 가리켜	7 가르쳐	8 가리키다
9 안내	10 장소	11 말	12 인도
13 걸음	14 예 도서관에 가는 길을 친구에게 물었다. / 길을 가다가 신발에 진흙이 묻었다.		

6 '가리키다'는 '특별히 짚어 보이거나 알리다.'를 뜻하는 말입니다. 따라서 "먹고 싶은 과일을 손으로 '가리켜' 골랐다."가 알맞습니다.

7 '가르치다'는 '어떤 사람이 다른 사람에게 지식이나 기술 등을 깨닫거나 익히게 하다.'를 뜻하는 말입니다. 따라서 "동생이 이 닦는 방법을 물어보아서 '가르쳐' 주었다."가 알맞습니다.

13 보기 의 '무슨 일이나 그 일의 시작이 중요함.'이라는 뜻풀이를 가진 속담은 '천 리 길도 한 걸음부터'로, 속담의 빈칸에 들어갈 말은 '걸음'입니다.

14회

▶ 본문 62~63쪽

1 ㉡	2 ㉠	3 ㉡	4 ㉡
5 ㉠	6 ㉡	7 ㉠	8 부인
9 평범	10 ㉢	11 ㉠	12 ㉡
13 ㉢	14 예 특별한 친구가 생겨서 마음이 행복하였다.		

6 '우수하다'는 '여럿 가운데 뛰어나다.'를 뜻하는 말로, '우수한'이 들어가기에 알맞은 문장은 ㉡입니다.

7 '평범하다'는 '뛰어나거나 색다른 점이 없이 흔히 있을 만하다.'를 뜻하는 말로, '평범한'이 들어가기에 알맞은 문장은 ㉠입니다.

13 보기 의 '마음에 차다'는 '마음에 넉넉하여 만족하게 여기다.'를 뜻하는 관용어입니다. 따라서 밑줄 친 관용어의 뜻풀이로 알맞은 것은 ㉢입니다.

15회

▶ 본문 66~67쪽

1 걱정	2 화목	3 기쁨	4 ㉡
5 ㉠	6 무사해	7 혼란해	8 감사
9 흡족	10 ㉢	11 감사하여	12 흡족하여
13 ㉢	14 예 감사한 마음을 가지면 행복을 느낄 수 있다.		

6 '무사하다'는 '아무런 일이 없거나 아무 탈 없이 편안하다.'를 뜻하는 낱말로, 빈칸에 들어갈 낱말은 '무사해'입니다.

7 '혼란하다'는 '마음이나 정신 등이 어둡고 어지럽다.'를 뜻하는 낱말입니다. 따라서 빈칸에 들어갈 낱말은 '혼란해'입니다.

13 '금의환향'은 '크게 성공하여 고향에 돌아옴.'을 뜻하는 한자 성어입니다. 따라서 '금의환향'과 어울리는 것은 ㉢입니다.

16회

▶ 본문 70~71쪽

1 ㉡	2 ㉠	3 유영	4 예매
5 하산	6 등산	7 예약	8 해안
9 ㉢	10 ㉡	11 ㉠	12 걱정
13 예 여행을 가기 위해 준비를 하였다.			

5 '하산'은 '산에서 내려오거나 내려감.'을 뜻하는 말입니다. 따라서 "산꼭대기까지 갔다가 '하산'을 하였다."가 알맞습니다.

6 '등산'은 '운동이나 놀이, 탐험 등의 목적으로 산에 오름.'을 뜻하는 말입니다. 따라서 "'등산'이 건강에 좋아서 할아버지께서는 주말마다 산에 가신다."가 알맞습니다.

12 '유비무환'은 '미리 준비가 되어 있으면 걱정할 것이 없음.'을 뜻하는 한자 성어입니다. 따라서 빈칸에 들어갈 말은 '걱정'입니다.

17회

▶ 본문 74~75쪽

1 ㉠	2 ㉡	3 ㉠	4 ㉠
5 ㉡	6 ㉡	7 ㉠	8 더위
9 뙤약볕	10 ㉢	11 ㉠	12 ㉡
13 ㉢	14 예 시원한 물을 마셔서 더위를 식혔다.		

6 '음지'는 '햇빛이 잘 비치지 않는 어두운 곳.'을 뜻하는 말입니다. 따라서 "체육 시간이 끝나고 '음지'로 달려가 더위를 피하였다."가 알맞습니다.

7 '하계'는 '여름의 시기.'를 뜻하는 말입니다. 따라서 "우리나라는 이번 '하계' 올림픽에서 1위를 하였다."가 알맞습니다.

13 '머리를 식히다'는 '흥분되거나 긴장된 마음을 가라앉히다.'를 뜻하는 관용어로, 뜻풀이로 알맞은 것은 ㉢입니다. ㉠은 관용어 '머리가 가볍다', ㉡은 관용어 '머리를 싸매다'의 뜻풀이입니다.

18회

▶ 본문 78~79쪽

1 자세히	2 상처	3 진찰	4 불편
5 치료	6 ㉡	7 ㉠	8 열
9 편리	10 ㉢	11 다쳐서	12 아파서
13 가만히	14 예 배가 아파서 병원에서 치료를 받았다.		

6 '고통스럽다'는 '몸이나 마음이 괴롭고 아프다.'를 뜻하는 말입니다. 따라서 '고통스러웠다'가 들어가기에 알맞은 문장은 ㉡입니다.

7 '살피다'는 '두루두루 주의하여 자세히 보다.'를 뜻하는 말입니다. 따라서 '살폈다'가 들어가기에 알맞은 문장은 ㉠입니다.

13 '눈치를 살피다'는 '남의 눈치를 가만히 보거나 살피다.'를 뜻하는 관용어입니다. 따라서 빈칸에 들어갈 말은 '가만히'입니다.

19회

▶ 본문 82~83쪽

1 ㉡	2 ㉠	3 이용	4 반납
5 빌었다	6 빌렸다	7 반환	8 조용
9 ㉡	10 ㉠	11 ㉡	12 ㉡
13 예 도서관에서 책을 반납하고 또 책을 빌렸다.			

5 '빌다'는 '바라는 바를 이루게 하여 달라고 간절히 부탁하다.'를 뜻하는 낱말입니다. 따라서 빈칸에 들어갈 낱말은 '빌었다'입니다.

6 '빌리다'는 '남의 돈이나 물건 등을 갚거나 돌려주기로 하고 얼마 동안 쓰다.'를 뜻하는 낱말입니다. 따라서 빈칸에 들어갈 낱말은 '빌렸다'입니다.

12 '쥐구멍을 찾다'는 '부끄럽거나 이럴 수도 저럴 수도 없어 어디에라도 숨고 싶어 하다.'를 뜻하는 관용어입니다. 따라서 '쥐구멍을 찾다'의 상황으로 알맞은 것은 ㉡입니다.

20회

▶ 본문 86~87쪽

1 ㉡	2 ㉠	3 ㉡	4 ㉠
5 ㉡	6 ㉠	7 기다리다	8 버릇
9 ㉡	10 ㉡	11 ㉠	12 여든
13 예 나는 저축을 열심히 하겠다고 다짐을 하였다.			

5 '다짐'은 '마음이나 뜻을 굳게 가다듬어 정함.'을 뜻하는 말로, "나는 숙제를 미루지 않겠다고 '다짐'을 하였다."가 알맞습니다.

6 '돈'은 '금속이나 종이로 만든 것으로 사물의 가치를 나타내는 물건.'을 뜻하는 말로, "문방구에서 지우개를 사고 '돈'을 드렸다."가 알맞습니다.

12 보기 의 '어릴 때부터 나쁜 버릇이 들지 않도록 잘 가르쳐야 함.'이라는 뜻풀이를 가진 속담은 '세 살 적 버릇이 여든까지 간다'입니다. 따라서 속담의 빈칸에 들어갈 말은 '여든'입니다.

21회

▶ 본문 90~91쪽

1 본받아	2 시간	3 물건	4 본보기
5 혼잡	6 ㉠	7 ㉡	8 복잡
9 순서	10 ㉢	11 ㉠	12 ㉡
13 ㉠	14 예 내가 본보기가 되어 차례를 지켰다.		

6 '복잡하다'는 '일이나 감정 등이 뒤죽박죽 얽혀 있다.'를 뜻하는 말입니다. 따라서 '복잡하고'가 들어가기에 알맞은 문장은 ㉠입니다.

7 '신속하다'는 '매우 날쌔고 빠르다.'를 뜻하는 말입니다. 따라서 '신속하고'가 들어가기에 알맞은 문장은 ㉡입니다.

13 보기 의 '머리가 복잡하다'는 '고민이 많다.'를 뜻하는 관용어입니다. 따라서 관용어의 뜻풀이로 알맞은 것은 ㉠입니다. ㉡은 관용어 '머리가 수그러지다', ㉢은 관용어 '머리가 깨다'의 뜻풀이입니다.

22회

▶ 본문 94~95쪽

1 ㉡	2 ㉢	3 ㉠	4 ㉡
5 ㉠	6 신선한	7 판매한	8 운반
9 채소	10 ㉡	11 ㉡	12 ㉠
13 ㉢	14 예 주문하였던 사과를 받아 보니 싱싱하였다.		

6 '신선하다'는 '과일이나 생선 등이 싱싱하다.'를 뜻하는 말입니다. 따라서 빈칸에 들어갈 낱말은 '신선한'입니다.

7 '판매하다'는 '상품 등을 팔다.'를 뜻하는 말입니다. 따라서 빈칸에 들어갈 낱말은 '판매한'입니다.

13 '인심을 사다'는 '남에게 좋은 평을 얻다.'를 뜻하는 관용어입니다. 따라서 '인심을 사다'의 상황으로 알맞은 것은 ㉢입니다.

23회

▶ 본문 98~99쪽

1 ㉠	2 ㉡	3 ㉡	4 ㉡
5 ㉠	6 ㉡	7 ㉠	8 손뼉
9 연회	10 ㉠	11 각본	12 행동
13 뜻	14 예 우리는 객석에 앉아 연극을 보았다.		

6 '몸짓'은 '몸을 움직이는 모양.'을 뜻하는 말입니다. 따라서 "친구가 유명 개그맨의 '몸짓'을 흉내 내었다."가 알맞습니다.

7 '역할'은 '영화나 연극 등에서 배우가 극에 등장하는 인물을 맡는 일.'을 뜻하는 말로, "그 배우는 영화에서 의사 '역할'을 맡았다."가 알맞습니다.

13 보기 의 '두 손뼉이 맞아야 소리가 난다'라는 속담의 뜻풀이는 '두 편에서 서로 뜻이 맞아야 이루어질 수 있음.'입니다. 따라서 뜻풀이의 빈칸에 들어갈 말은 '뜻'입니다.

24회

▶ 본문 102~103쪽

1 결과물	2 인공	3 색	4 창작물
5 소재	6 ㉡	7 ㉠	8 간단
9 재료	10 ㉡	11 ㉢	12 ㉠
13 ㉠	14 예 나는 알록달록 화려한 작품을 만들었다.		

6 '만들다'는 '재료나 소재 등에 노력이나 기술을 들여 이루어 내다.'를 뜻하는 말로, '만든'이 들어가기에 알맞은 문장은 ㉡입니다.

7 '화려하다'는 '환하게 빛나며 곱고 아름답다.'를 뜻하는 말로, '화려한'이 들어가기에 알맞은 문장은 ㉠입니다.

13 밑줄 친 관용어의 뜻풀이는 '상대방이 말하는 도중에 말을 중지시키다.'로, ㉠이 뜻풀이로 알맞습니다. ㉡은 관용어 '말도 못 하다'의 뜻풀이입니다.

어휘력 테스트 정답과 해설

01회

▶ 어휘력 테스트 2쪽

1 ㉡	2 ㉢	3 ㉠	4 은사
5 입학	6 친구	7 학업	8 생계
9 학습하고	10 선생님	11 ㉡	12 ㉠

8 '생계'는 '살림을 살아 나갈 방법이나 형편.'을 뜻하는 말입니다. 따라서 "'생계'를 유지하였다."와 "'생계'를 이으려 일한다."가 알맞습니다.

9 '학습하다'는 '배워서 익히다.'라는 뜻입니다. 따라서 '배우다'와 바꾸어 쓸 수 있는 낱말은 '학습하다'입니다.

11 '죽마고우'는 '어릴 때부터 같이 놀며 자란 벗.'이라는 뜻을 가진 한자 성어입니다. 그리고 '벗'은 '비슷한 또래로서 서로 친하게 사귀는 사람.'을 뜻하는 말입니다. 따라서 '친구'와 관련 있는 말은 '죽마고우'입니다.

02회

▶ 어휘력 테스트 3쪽

1 나누다	2 물건	3 문구점	4 모르는
5 빠짐이	6 불필요	7 빠뜨려	8 챙기다
9 문구점	10 물건	11 나누어	12 필요

6 '낭비'는 '시간이나 재물 등을 헛되이 헤프게 씀.'을 뜻하는 낱말입니다. '낭비'는 필요한 것이 아니므로 빈칸에 들어갈 낱말로 알맞은 것은 '불필요'입니다.

11 대청소를 하려면 가족 모두가 협동해야 합니다. 따라서 빈칸에는 '일을 여럿이 나누어 하다.'라는 뜻을 가진 "손을 '나누다'"라는 관용어가 들어가는 것이 알맞습니다.

12 청소를 하기 위해서는 걸레가 있어야 합니다. 따라서 '반드시 요구되는 바가 있음.'을 뜻하는 '필요'가 빈칸에 들어갈 낱말로 알맞습니다.

03회

▶ 어휘력 테스트 4쪽

1 규칙	2 구분	3 기호	4 움직임
5 자동차	6 표지	7 중지하였다	8 선별
9 횡단보도	10 ㉡	11 ㉠	12 ㉡

2 '계절별'은 옷을 나누는 기준을 정한 말입니다. 따라서 빈칸에는 '일정한 기준에 따라 전체를 몇 개로 갈라 나눔.'의 뜻을 가진 '구분'이 들어가는 것이 알맞습니다.

8 '구분'과 '선별'은 '나눔'이라는 공통된 뜻을 가진 낱말입니다. 따라서 사과를 좋은 것과 그렇지 않은 것으로 나눈다는 의미의 '구분'과 바꾸어 쓸 수 있는 낱말은 '선별'이 알맞습니다.

12 '아무리 급해도 순서를 밟아서 일해야 함.'의 뜻을 가진 속담은 '급하면 바늘허리에 실 매어 쓸까'입니다.

04회

▶ 어휘력 테스트 5쪽

1 ㉡	2 ㉠	3 ㉢	4 관계
5 안부	6 인사	7 껴안다	8 추천
9 포옹하며	10 막역한	11 ㉡	12 ㉠

6 '인사'는 '만나거나 헤어질 때에 예를 갖추는 말이나 행동.'입니다. 예의 바른 어린이가 되려면 '인사'를 잘해야 하므로 빈칸에 들어갈 낱말은 '인사'가 알맞습니다.

8 친구에게는 책을, 외국 사람에게는 음식을 추천해 줍니다. 따라서 '어떤 조건에 알맞은 대상을 소개함.'이라는 뜻의 '추천'이 알맞습니다.

9 '껴안다'는 '두 팔로 감싸서 품에 안다.'의 뜻입니다. '껴안다'는 '사람을 또는 사람끼리 품에 껴안다.'의 뜻을 가진 '포옹하다'와 바꾸어 쓸 수 있는 낱말입니다.

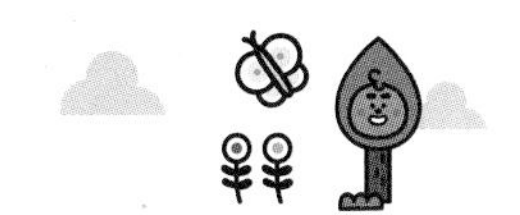

05회

▶ 어휘력 테스트 6쪽

1 봄	2 변하다	3 텃새	4 액체
5 덥지	6 옷차림	7 봄을 타는지	8 변하다
9 옷차림	10 녹다	11 봄	12 철새

4 얼음이 열을 받으면 녹아서 물이 됩니다. '녹다'는 '얼음이나 얼음같이 매우 차가운 것이 열을 받아 액체가 되다.'의 뜻입니다.

7 '봄철에 입맛이 없어지거나 몸이 나른해지고 파리해지다.'라는 뜻을 가진 관용어는 '봄을 타다'입니다. 봄에 몸이 나른해지면 갑자기 졸음이 쏟아질 수 있습니다.

12 기러기는 가을에 우리나라로 날아와 겨울을 보낸 후 봄이 되면 떠나는 겨울 철새입니다. '나그네새'는 이동하는 도중에 봄, 가을 두 차례 한 지방을 지나는 철새를 말합니다.

06회

▶ 어휘력 테스트 7쪽

1 기른다	2 심는다	3 자라서	4 ㉠
5 ㉡	6 ㉡	7 재배하였다	8 자라나
9 토양	10 식물	11 모래	12 뜨거운

3 씨앗이 새싹이 되려면 점점 커져야 합니다. 따라서 빈칸에 들어갈 낱말은 '부분적으로 또는 전체적으로 점점 커지다.'라는 뜻의 '자라다'가 알맞습니다.

5 쥐구멍은 작아서 햇볕이 들기 어렵습니다. '쥐구멍에도 볕들 날 있다'는 '몹시 고생을 하는 삶도 좋은 운수가 터질 날이 있음.'을 뜻하는 속담입니다.

7 '심다'는 '식물의 뿌리나 씨앗 등을 흙 속에 묻다.'라는 뜻입니다. 따라서 '식물을 심어 가꾸다.'를 뜻하는 '재배하다'와 바꾸어 쓸 수 있습니다.

07회

▶ 어휘력 테스트 8쪽

1 ㉠	2 ㉢	3 ㉡	4 맑다
5 인조	6 자연	7 산보	8 탁한
9 무성하다	10 나들이	11 ㉡	12 ㉠

6 '자연'은 '사람의 힘을 더하지 않고 저절로 이루어지는 모든 존재나 상태.'를 뜻하는 낱말입니다. 우리는 모두 지구의 아름다운 자연을 보호하기 위해 노력해야 합니다.

7 '산보'는 '휴식을 취하거나 건강을 위해서 천천히 걷는 일.'을 뜻하는 낱말입니다.

12 '분위기가 몹시 긴장되어 있다.'라는 뜻의 관용어는 '공기가 팽팽하다'입니다. 결승전은 우승을 가르는 중요한 경기이므로 매우 긴장된 분위기일 것입니다.

08회

▶ 어휘력 테스트 9쪽

1 명맥	2 아끼다	3 함부로	4 길고
5 유지함	6 붓을 꺾었다	7 풀밭	8 보전
9 함부로	10 명맥	11 초원	12 절약하여

6 '글을 쓰는 활동을 그만두다.'라는 뜻의 관용어는 '붓을 꺾다'입니다. 일제 강점기에는 우리말로 글을 쓰는 것이 금지되어 많은 시인과 소설가들이 글쓰기를 그만두기도 하였습니다. 따라서 '붓을 꺾었다'가 빈칸에 들어갈 알맞은 말입니다.

10 '명맥'은 '살아 있는 목숨이나 맥을 이어 나가는 근본.'을 뜻하는 말로, '생명'과 뜻이 비슷한 낱말입니다.

11 '초원'은 '풀이 나 있는 들판.'을 뜻하는 낱말입니다. 목장은 푸른 '초원'에 있습니다.

09회

▶ 어휘력 테스트 10쪽

1 선물	2 감격	3 잔치	4 고마움
5 좋은	6 나오다	7 출생하였다	8 매년
9 감격	10 ㉠	11 ㉠	12 ㉠

2 '감격'은 '마음에 깊이 느껴 크게 감동함. 또는 그 감동.'을 뜻하는 말입니다. 따라서 "금메달을 땄다는 소식을 듣고 '감격'을 하였다."가 알맞습니다.

7 '출생하다'는 '세상에 나오다.'를 뜻하는 말입니다. 동생이 태어난 것은 엄마 뱃속에서 세상으로 나온 것이므로 '태어나다'를 '출생하다'로 바꾸어 쓸 수 있습니다.

12 '소문이나 큰 기대가 있지만 실제는 그렇지 않음.'의 뜻을 가진 속담은 '소문난 잔치에 먹을 것 없다'입니다.

10회

▶ 어휘력 테스트 11쪽

1 ㉡	2 ㉠	3 ㉢	4 곳간
5 곡류	6 익다	7 곡식	8 풍년
9 성숙해	10 창고	11 거두어	12 ㉠

5 미숫가루는 쌀, 콩, 보리 등과 같은 여러 가지 곡식을 갈아 가루로 만든 것입니다. 이러한 곡식을 통틀어 '곡류'라고 합니다.

11 '수확하다'는 '익거나 다 자란 농수산물을 거두어들이다.'의 뜻으로, '곡식이나 열매 등을 따서 담거나 한데 모으다.'라는 뜻의 '거두다'로 바꾸어 쓸 수 있습니다.

12 '교양과 수양을 쌓은 사람일수록 다른 사람에게 자신을 내세우지 않음.'은 겸손해야 한다는 말입니다. 이러한 뜻을 지닌 속담은 '벼 이삭은 익을수록 고개를 숙인다'입니다.

11회

▶ 어휘력 테스트 12쪽

1 거리	2 개울	3 도시	4 세심하게
5 도시	6 돌다리	7 개천	8 개울
9 야생화	10 도시	11 야생화	12 정답게

4 '잘 아는 일이라도 세심하게 주의를 해야 함.'이라는 뜻을 가진 속담은 '돌다리도 두들겨 보고 건너라'입니다. 튼튼해 보이는 돌다리도 두들겨 보며 안전한지 확인하듯 일을 할 때는 항상 주의해야 합니다.

9 '야생화'는 '산이나 들에 저절로 피는 꽃.'을 뜻하는 말로, '들에 피는 꽃.'인 '들꽃'과 비슷한 낱말입니다.

10 시골에 비해 높은 건물과 많은 사람이 있는 곳은 '도시'입니다.

12회

▶ 어휘력 테스트 13쪽

1 만족감	2 거만	3 봉사	4 존중
5 도움	6 다정	7 ㉠	8 호의
9 자상하시다	10 만족감	11 ㉠	12 ㉡

7 '여러 사람이 힘을 합하면 한 사람을 도와주기 쉬움.'이라는 뜻을 가진 한자 성어는 '십시일반'입니다. '십중팔구'는 '열 가운데 여덟이나 아홉 정도로 거의 대부분이거나 거의 틀림없음.'이라는 뜻입니다.

9 '자상하다'는 '세심하고 정이 깊다.'라는 뜻입니다. 따라서 '매우 친근하고 다정하다.'라는 뜻을 가진 '친절하다'는 '자상하다'와 바꾸어 쓸 수 있습니다.

10 '만족감'은 '모자람이 없이 마음이 넉넉한 느낌.'을 뜻하는 말입니다. 따라서 '보람'과 바꾸어 쓸 수 있습니다.

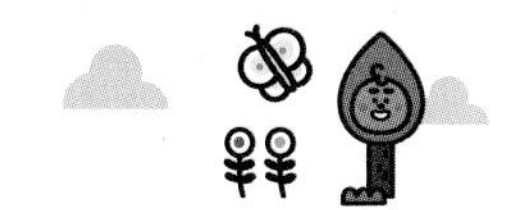

13회

▶ 어휘력 테스트 14쪽

1 ㉠	2 ㉡	3 ㉢	4 묻다
5 인도	6 위치	7 길	8 가르쳐
9 말	10 안내	11 장소	12 ㉠

8 '가르치다'는 '어떤 사람이 다른 사람에게 지식이나 기술 등을 깨닫거나 익히게 하다.'를 뜻합니다. 따라서 "누나가 영어를 '가르쳐' 주었다."와 "동생에게 구구단을 '가르쳐' 주려고 준비하였다."가 알맞습니다.

10 '인도'는 '목적하는 곳으로 안내하거나 이끌어 줌.'을 뜻하는 말입니다. 따라서 '어떤 내용이나 장소 등을 소개하거나 지시하여 알려 줌.'이라는 뜻의 '안내'로 바꾸어 쓸 수 있습니다.

12 '무슨 일이나 그 일의 시작이 중요함.'이라는 뜻을 가진 속담은 '천 리 길도 한 걸음부터'로, 일단 시작하는 것이 중요하다는 뜻입니다.

14회

▶ 어휘력 테스트 15쪽

1 마음	2 진심	3 칭찬	4 높거나
5 일반적인	6 본심	7 부인	8 부인
9 칭찬	10 특별하다	11 마음에 찼다	12 우수한

10 '특별하다'는 '일반적인 것과 아주 다르다.'를 뜻하는 말입니다. 따라서 '평범하다'와 반대되는 뜻을 가진 낱말은 '특별하다'가 알맞습니다.

11 '마음에 넉넉하여 만족하게 여기다.'의 뜻을 가진 관용어는 '마음에 차다'입니다. 새로 산 신발이 만족스럽게 느껴진다는 뜻입니다.

12 '우수하다'는 '여럿 가운데 뛰어나다.'를 뜻하는 말입니다. 대상을 받았다는 것은 글쓰기 능력이 뛰어나다는 것입니다. 따라서 빈칸에 들어갈 낱말로 '우수하다'가 알맞습니다.

15회

▶ 어휘력 테스트 16쪽

1 평화로워	2 혼란하였다	3 고마웠다	4 고마운
5 편안하다	6 모자람	7 흐뭇하였다	8 무사하였다
9 고마운	10 ㉡	11 ㉡	12 ㉠

2 '혼란하다'는 '마음이나 정신 등이 어둡고 어지럽다.'를 뜻하는 말입니다. 따라서 "태풍이 와서 온 마을이 '혼란하였다'."가 알맞습니다.

7 '흡족하다'는 '조금도 모자람이 없이 넉넉하여 만족하다.'를 뜻하는 말입니다. 농부는 농사가 잘된 것을 만족스럽게 느낀다는 뜻이므로, '흡족하다'와 바꾸어 쓸 수 있는 낱말로 알맞은 것은 '흐뭇하다'입니다.

12 '크게 성공하여 고향에 돌아옴.'이라는 뜻을 가진 한자 성어는 '금의환향'입니다. '금지옥엽'은 귀한 자손을 이르는 말입니다.

16회

▶ 어휘력 테스트 17쪽

1 ㉡	2 ㉠	3 ㉢	4 유비무환
5 준비	6 해안	7 헤엄	8 등산
9 예매	10 유영	11 ㉡	12 ㉠

4 '미리 준비가 되어 있으면 걱정할 것이 없음.'이라는 뜻을 가진 한자 성어는 '유비무환'입니다. 어떤 시험이더라도 준비를 미리 하였다면 걱정할 것이 없을 것입니다.

9 '예약'은 '미리 약속함. 또는 미리 정한 약속.'을 뜻하는 말입니다. 부산에 가려면 기차표를 미리 사야 하므로 '예매'와 바꾸어 쓸 수 있습니다.

11 '유람'은 '돌아다니며 구경함.'을 뜻하는 말입니다. 따라서 '돌아다니며 구경하였다.'와 의미가 통하는 낱말입니다.

어휘력 테스트 정답과 해설

17회

▶ 어휘력 테스트 18쪽

1 그늘	2 여름	3 혹서	4 긴장된
5 뜨겁게	6 음지	7 뙤약볕	8 혹서
9 여름	10 여가	11 식혀	12 휴가

4 '흥분되거나 긴장된 마음을 가라앉히다.'라는 뜻을 가진 관용어는 '머리를 식히다'입니다.

7 '여름에 강하게 내리쬐는 몹시 뜨거운 볕.'을 뜻하는 낱말은 '뙤약볕'입니다. 널어 둔 고추가 뜨거운 볕에 말랐다는 것이므로, 문장의 빈칸에 들어갈 말은 '뙤약볕'이 알맞습니다.

12 '휴가'는 '학업 또는 근무를 일정한 기간 동안 쉬는 일이나 그 기간.'을 뜻하는 말입니다. 이모께서 바닷가에 가신 것은 휴가를 보내시기 위한 것이므로, 빈칸에 들어갈 낱말은 '휴가'가 알맞습니다.

19회

▶ 어휘력 테스트 20쪽

1 ㉢	2 ㉡	3 ㉠	4 반환
5 이용	6 찾다	7 잠잠하다	8 빌려
9 반환	10 조용해서	11 ㉠	12 ㉡

8 '빌리다'는 '남의 돈이나 물건 등을 갚거나 돌려주기로 하고 얼마 동안 쓰다.'를 뜻하는 말입니다.

9 '반납'은 '빌리거나 받은 것을 다시 돌려줌.'을 뜻하는 말입니다. 따라서 '반납'은 '빌리거나 가졌던 것을 다시 돌려줌.'을 뜻하는 '반환'과 바꾸어 쓸 수 있는 말로 알맞습니다.

12 '부끄럽거나 이럴 수도 저럴 수도 없어 어디에라도 숨고 싶어 하다.'라는 뜻의 관용어는 '쥐구멍을 찾다'로, 부끄러워서 숨고 싶은 마음과 관련이 있는 관용어는 '쥐구멍을 찾다'입니다.

18회

▶ 어휘력 테스트 19쪽

1 다쳐서	2 편리	3 아파서	4 괴로움
5 병	6 상처	7 고통스러워	8 치료
9 다쳤다	10 ㉠	11 ㉠	12 ㉠

2 '편하고 이로우며 이용하기 쉬움.'을 뜻하는 낱말은 '편리'입니다. 계산기는 많은 숫자를 계산하기에 빠르고 편리합니다. 따라서 문장의 빈칸에 들어갈 말은 '편리'가 알맞습니다.

7 '고통스럽다'는 '몸이나 마음이 괴롭고 아프다.'를 뜻하는 말입니다. 따라서 '아프다'와 바꾸어 쓸 수 있는 낱말은 '고통스럽다'입니다.

12 '남의 눈치를 가만히 보거나 살피다.'라는 뜻의 관용어는 '눈치를 살피다'입니다. 여기에서 '눈치'는 '남의 마음을 상황으로 미루어 알아내는 것.'을 뜻하는 말입니다.

20회

▶ 어휘력 테스트 21쪽

1 다짐	2 버릇	3 화폐	4 앞으로
5 많다	6 시간	7 저축	8 고대하였다
9 고대하다	10 각오	11 화폐	12 ㉡

8 '무엇을 몹시 기다리다.'를 뜻하는 말은 '고대하다'입니다. 따라서 "소풍날이 빨리 오기를 '고대하였다'."가 알맞습니다.

10 '각오'는 '앞으로 해야 할 일이나 겪을 일에 대한 마음의 준비.'를 뜻하는 말입니다. '다짐'과 뜻이 비슷한 말은 '각오'입니다.

12 '어릴 때부터 나쁜 버릇이 들지 않도록 잘 가르쳐야 함.'의 뜻을 가진 속담은 '세 살 적 버릇이 여든까지 간다'입니다. 속담인 '번갯불에 콩 볶아 먹겠다'는 '행동이 매우 재빠르고 날쌤.'을 나타내는 말입니다.

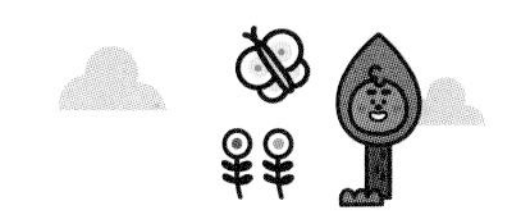

21회

▶ 어휘력 테스트 22쪽

1 신속하게	2 여럿	3 본보기	4 뒤죽박죽
5 차례	6 어수선	7 다수	8 모범
9 빠르게	10 ㉡	11 ㉡	12 ㉡

7 '여럿'은 '많은 수의 사람이나 물건.'을 뜻하는 말입니다. 많은 친구들이 떡볶이를 먹으러 갔다는 뜻이므로, '여럿'은 '낱낱의 수가 많음.'을 뜻하는 낱말인 '다수'로 바꾸어 쓰기에 알맞습니다.

8 '본보기'는 '그대로 따라 할 만한 대상.'을 뜻하는 말입니다. 따라서 '본받아 배울 만한 대상.'이라는 뜻을 가진 '모범'으로 바꾸어 쓸 수 있는 낱말로 알맞습니다.

12 '고민이 많다.'의 뜻을 가진 관용어는 '머리가 복잡하다'입니다. 머릿속이 여러 가지 생각으로 복잡하게 얽혀 있다는 의미입니다.

22회

▶ 어휘력 테스트 23쪽

1 ㉢	2 ㉡	3 ㉠	4 육류
5 요청	6 팔다	7 채소	8 주문
9 싱싱하였다	10 판매하였다	11 ㉡	12 ㉠

5 미술 작품을 만지지 말라고 부탁하였다는 뜻이므로, '필요한 어떤 일이나 행동을 부탁함.'을 뜻하는 '요청'이 알맞습니다.

8 '주문'은 '상품을 만들거나 파는 사람에게 상품의 생산, 수송 등을 요구함.'이라는 뜻입니다. 물건을 받고, 음식을 먹으려면 주문을 해야 하므로 공통으로 들어갈 알맞은 낱말은 '주문'입니다.

12 '남에게 좋은 평을 얻다.'라는 뜻을 가진 관용어는 '인심을 사다'입니다. 어려운 이웃을 도와주면 사람들에게 좋은 평을 얻게 되므로, 관용어 '인심을 사다'와 의미가 통합니다.

23회

▶ 어휘력 테스트 24쪽

1 몸짓	2 손뼉	3 임무	4 맞아야
5 말	6 객석	7 행동	8 각본
9 임무	10 연희	11 무대	12 연극

4 '두 편에서 서로 뜻이 맞아야 이루어질 수 있음.'의 뜻을 가진 속담은 '두 손뼉이 맞아야 소리가 난다'입니다.

7 강아지가 꼬리를 흔드는 것은 몸을 움직여 흔드는 움직임을 행하는 것입니다. 따라서 빈칸에 들어갈 알맞은 말은 '행동'입니다.

9 '임무'는 '맡은 일. 또는 맡겨진 일.'을 뜻하는 말입니다. 따라서 '영화나 연극 등에서 배우가 극에 등장하는 인물을 맡는 일.'을 뜻하는 '역할'과 뜻이 비슷한 말은 '임무'입니다.

24회

▶ 어휘력 테스트 25쪽

1 창작물	2 색칠	3 만들어	4 끊어지게
5 물건	6 아름답다	7 소재	8 만들었다
9 채색	10 ㉠	11 ㉡	12 ㉡

8 '만들다'는 '재료나 소재 등에 노력이나 기술을 들여 이루어 내다.'를 뜻하는 말입니다. 따라서 '원료에 인공을 가하여 제품을 만들다.'를 뜻하는 말인 '제조하다'와 바꾸어 쓸 수 있는 낱말로 알맞습니다.

9 '색칠'은 '여러 가지의 고운 빛깔. 또는 그림 등에 색을 칠함.'을 뜻하는 '채색'과 바꾸어 쓸 수 있습니다. '채굴'은 '땅을 파고 땅속에 묻혀 있는 광물 등을 캐냄.'이라는 뜻을 가진 말입니다.

12 '상대방이 말하는 도중에 말을 중지시키다.'의 뜻을 가진 관용어는 '말머리를 자르다'입니다. 관용어 '말을 삼키다'는 '하려던 말을 그만두다.'라는 뜻을 가지고 있습니다.

실력 진단 평가 1

01 ㉡ 02 ㉣ 03 ㉢ 04 ㉠ 05 기준 06 식물 7 느낌 08 포옹하였다 09 나누었다 10 친하였다 11 ㉠ 12 ㉢ 13 ㉡ 14 ㉡ 15 ㉢

실력 진단 평가 2

01 ㉣ 02 ㉠ 03 ㉢ 04 ㉡ 05 마음 06 환자 07 이용 08 평범한 09 우수한 10 판매한 11 ㉢ 12 ㉠ 13 ㉡ 14 ㉠ 15 ㉢

이 책을 추천합니다.

▶▶ 평소에 아이가 책을 많이 접하고 자주 읽게 하려고 노력하는 편인데, 다양한 책을 읽다 보면 당연히 알고 있을 것이라고 생각했던 쉬운 어휘를 모르는 경우가 종종 있었습니다. 이 책에서는 한자어, 고유어, 다의어, 동음이의어 등 다양한 기초 낱말과 한자 성어, 속담, 관용어 같은 어려운 내용까지 함께 배울 수 있어서 좋았습니다.

– 이미정 (안산초등학교 3학년 학부모)

▶▶ 탄탄한 어휘력은 독해의 기본입니다. 길고 어려운 글을 독해할 때 우리는 어휘를 중심으로 맥락을 파악합니다. 그러나 탄탄한 어휘력을 쌓는 일은 단시간에 문제를 많이 푼다고 이루어지는 것이 아닙니다. 평소에 어휘가 문장 안에서 어떤 의미로 사용되고 있는지, 이를 대체할 낱말들에는 무엇이 있는지를 곰곰이 생각해 보는 연습이 필요합니다.

– 신주용 (서울대 자유전공학부 19학번)